場面緘黙 Q&A

幼稚園や学校で
おしゃべりできない
子どもたち

かんもくネット ▶著
角田圭子 ▶編

What is Selective Mutism?

How to Help Children
Who Can't Talk
in School

Knet

学苑社

しゃべれない
～緘黙(かんもく)の気持ち～

どうして人は　しゃべるんだろう…
どうして人は　笑うんだろう…

教室のみんなは　あたりまえのようにやっていることが
ぼくにはできないんだ。
とっても不思議で　とっても不安。

がんばって　話をしようと思っても
がんばって　笑おうと思っても
ぼくの体は　思うようには動かない。

毎日毎日　学校へ行く時間になると
さみしくなるんだ。

だって　ぼくは家にいると
自然にしゃべれるし　自然に笑えるから。
でも学校へ行くと
しゃべれなくて　笑えないんだ。

わざとそうしているんじゃない。
自然に体がそうなってしまうんだ。

ぼくはみんなの事が嫌いだから　しゃべらないんじゃない。
笑わないんじゃない。
それだけは分かって欲しい。

本当はみんなと一緒に
しゃべりたくて　笑いたくて　仕方ないんだ。
毎日不思議で　毎日寂しいんだ。

　　　　　教室には　優しくしてくれる友達もいる。
　　　　　その優しさに 涙が出そうになる時もある。

　　　　　その嬉しい気持ちを伝えたいけど　しゃべれないんだ。
　　　　　その優しい気持ちを受け止めたいけど　笑えないんだ。

　　　　　ゴメンね、友達。
　　　　　ゴメンね、友達。

　　　　　ぼくはいつも心の中でそう思ってる。
　　　　　心の中では大声で感謝している。

　　　　　だから
　　　　　ぼくのこと分かって欲しい。

　　　　　声を出してしゃべれなくても
　　　　　顔をクシャクシャにして笑えなくても

　　　　　みんなと一緒にしゃべってるってこと。
　　　　　みんなと一緒に笑ってるってこと。
　　　　　そして
　　　　　みんなと一緒に生きているってこと。

　　　　　　　　　　　　　　　by　野ウサギ。

推　薦　文

　本書はかんもくネットの方々と臨床心理士の角田圭子さんのこれまでの活動の集大成です。緘黙への理解を促すと共に、緘黙の方々ご本人および緘黙と関わる保護者の方々の多くの声が収録されています。

　場面緘黙の問題は、これまで教育の現場では大きく取り上げられることはありませんでした。それは緘黙の方々ご本人の声が聞けなかったこともあり、緘黙の方々の本当の苦しみが理解されずむしろ誤解されてきたような面もあったと思われます。また他の問題のように周りへの迷惑や大きな影響はなく、ただ単におとなしすぎるだけと思われてきたこともありました。その結果、苦しみは本人だけに背負わされてきました。そのような中でも問題を重視し、一生懸命関わってきた関係者（保護者、教師、相談関係者）も多くいます。しかしこの問題は、精力的に関わり多くの労力を費やしても結果はあまりにささやかな進歩でしかない場合が多く、挫折感にとらわれることもしばしばでした。また我が国の教育体制では、一人の教師が一人の子どもと密に関われる期間は限られています。たいていは数年（2〜3年）です。その間に事態がいくらか好転をしても、次の体制の変化によって逆戻りしてしまうことも多く見てきました。

　また緘黙の問題は、それが発達の早期であれば他の言葉の問題と同様にいずれ成長すれば何とか改善していくであろうとの楽観的な見方が優先し、現状をそれほど重大視すべきものと思わずその場を何とかしのいでいくこともありました。そして、気づいたときには重篤な状況に陥っている事例を多く見てきました。その時点での改善への関わりは非常に困難で、よかれと思う関わりですら、逆に症状を悪化させる危険性を持っています。そうなってしまってはむしろ症状をそれ以上に悪化させないことしか望めないくらいです。

　我が国においては場面緘黙についての研究が進んでいない、有効な手だてが分からないと言われています。しかし、服用すれば完治する特効薬のような手だてはあり得ません。どんな理論に基づこうとも結局は時間をかけて一歩一歩進むことしかないのです。場面緘黙はそういう様々なマイナスの状況の中におかれてきたことは確かでしょうが、それ以上にこの問題の深刻さは、当事者の苦しさが理解されてこなかったことが苦しさを倍加させてきたのではないかということです。人は理解されないことほどつらいことはありません。

　場面緘黙とインターネットのコミュニケーションの相性の良さは以前から予測されるものでしたが、いま現にこうして、インターネットを介して多くの方々の声が集まり、支え合えることが証明されました。人はどんな形でも人との交流を通してのみ心の安らぎが得られるものと思います。そういう意味合いにおいてもこのかんもくネットの活動は非常に有意義で有効な手段でしょう。

　本書を手にする方々は、同じ苦しみを担う仲間と苦しみへの理解者を得たという心強い力を感じられることと思います。これからも一層かんもくネットと角田圭子さんの御活躍を期待しています。

　　　　　　　　　　　　　　　　　　　　　　　　武蔵丘短期大学　河井英子（臨床心理士）

は じ め に

　本書は、保護者と教師が場面緘黙児を支援する際に役立つ情報を、かんもくネット（Knet）がまとめたものです。かんもくネットは、「場面緘黙児支援のための情報交換ネットワーク団体」です。2006年夏より下記の団体と治療機関の協力を得て、場面緘黙の基本情報をKnet資料としてウェブ上で公開してきました。

　　　　Selective Mutism Group ~Childhood Anxiety Network（SMG~CAN）
　　　　　　　　　　場面緘黙グループ小児期不安ネットワーク（米国）
　　　Selective Mutism Anxiety Research and Treatment Center（SMartセンター）
　　　　　　　　　　場面緘黙・不安研究治療センター（米国）
　　　The Selective Mutism Information and Research Association（SMIRA）
　　　　　　　　　　場面緘黙情報研究協会（英国）

　本書は、Knet資料から得た情報、主に海外の文献、そして保護者・教師・緘黙経験者・心理士がこの1年間を通して行なった情報交換をもとに書かれています。

　第1章は場面緘黙をどうとらえるか、その理論や研究について、第2章は緘黙児への対応や支援について、第3章は保護者や教師が緘黙児と取り組んだ実践を紹介しています。

　海外で場面緘黙の研究が進んでいるのに対し、日本では最新の情報が乏しく、緘黙児への対応や支援方法が書かれた書籍がほとんどありませんでした。緘黙児への支援は「保護者」と「学校」と「専門機関」が連携し、子どもの生活全体をサポートしていくのが最も効果的です。ひとりでも多くの方に「場面緘黙」を知っていただき、日本における緘黙児への支援方法が広まり、進展していく道が開けることを願ってやみません。第3章の実践については、まだ一部で始まったばかりで蓄積が少ないのが現状です。

　本書の特徴は、ウェブ上掲示板やメール交換による情報交換をもとに制作されたという点です。かんもくネットに原稿や意見を寄せてくださったみなさん、ウェブ上の書き込み文を本書に掲載することを了承してくださったみなさん、また本書の作成にご協力くださったみなさん、ありがとうございました。また、惜しみなく情報を提供してくださったSMG~CAN名誉理事兼SMartセンター代表のエリザ・シポンブラム（Elisa Shipon-Blum）博士とSMIRA会長のアリス・スルーキン（Alice Slukin）女史に、心より感謝しております。

　　　2008年2月　　　　　　かんもくネット（Knet代表）　　角田圭子（Keiko Kakuta）

目　次

推薦文（河井英子） 1
はじめに 2

第1章　理解 9

1 「場面緘黙」とは？ 9

Q1…先生から「お子さんは学校で話しません」と聞いて、びっくりしました。 9
- **コラム1** 恐怖ばっかり（高校生女子の緘黙当事者）
- **コラム2** 場面緘黙になったきっかけは保育園入園？（30代女性の緘黙経験者）
- **コラム3** ハリー・ポッターの「透明マント」が欲しかった（20代男性の緘黙経験者）
- **コラム4** 嵐が止むのを、家の中でジッと身を潜めて待っている感じ（40代男性の緘黙経験者）
- **コラム5** 重苦しくて、押しつぶされそうな気持ち（20代男性の緘黙経験者）

Q2…「場面緘黙」とは？ 12
Q3…なぜ話せないのでしょうか？ 13
Q4…緘黙児はどんな様子でしょうか？ 14
Q5…場面緘黙に軽度や重度はありますか？ 15
Q6…子どもの不安は、何によって決まるのでしょうか？ 16
- **コラム6** 失敗経験が重なると症状が悪化（40代男性の緘黙経験者）

Q7…おとなしい子どもや寡黙な子どもと、どう違いますか？ 17
Q8…大人が質問するとゆっくり答えることができますが、同年代の子とは話せません。こんな状態でも場面緘黙なのでしょうか？ 17
- **コラム7** 少し話せるために、かえって理解されにくい（高1女子の保護者）

Q9…「場面緘黙」「場面緘黙症」「選択性緘黙」のうち、どれが正しいのですか？ 18

2 原因 19

Q10…なぜ場面緘黙になるのでしょうか？ 19
- **コラム8** 生まれつき行動抑制的な子ども

Q11…「場面緘黙」は遺伝しますか？ 22
Q12　発達の問題と場面緘黙は関係ありますか？ 23
- **コラム9** 場面緘黙と発達障害の併存率

Q13…ことばの問題は場面緘黙に関係ありますか？ 24
Q14…発達障害の疑いがあると言われました。 25
- **コラム10** アスペルガー障害の対応が必要で「場面緘黙そのものを治そうとしてはダメ」（高1男子の保護者）

Q15…親の育て方が原因で、場面緘黙になるのでしょうか？ 27
- **コラム11** 学校が誤った理解の資料を配付（中3女子の保護者）

Q16…小さいころに近所の子どもと遊ばせなかったことが原因なのでしょうか？ 28
Q17…トラウマが原因で場面緘黙になりますか？ 29

- **コラム12** 恐怖の体験が発症の引き金に
- **コラム13** 「トラウマ」と「日常的トラウマ」
- **コラム14** 虐待と場面緘黙

3 早期発見・早期対応の重要性 31
Q18…大きくなれば自然に治りますか？ 31
- **コラム15** 緘黙を引きずると「後遺症」がついて回る（50代男性の緘黙経験者）
- **コラム16** 場面緘黙症の後遺症（40代男性の緘黙経験者）

Q19…なぜ場面緘黙を理解している人がほとんどいないのでしょうか？ 33
- **コラム17** 「選択性」ということばから誤解が（小5女子の保護者）
- **コラム18** 診察室で話せるから場面緘黙症ではないと言われました（中3女子の保護者）
- **コラム19** 場面緘黙症のことを知って欲しい（40代男性の緘黙経験者）

Q20…緘黙児は「特別支援教育」の対象なのでしょうか？ 36
Q21…海外では場面緘黙の一般の認知や専門家による研究が進んでいるのですか？ ... 37
- **コラム20** 海外メディアで取り上げられた場面緘黙症（場面緘黙症Journalより）
- **コラム21** 英国のサポート団体SMIRA（英国在住・6才男子の保護者）
- **コラム22** 米国のサポート団体SMG〜CANと娘が受けた治療（米国在住・12才女子の保護者）
- **コラム23** 緘黙をめぐる主な出来事（場面緘黙症Journalより）

第2章　対応 41

1 子どもの状態を理解する 42
Q22…先生が子どもの緘黙に気がついた時、どのように保護者に伝えればよいでしょうか？ ... 42
- **コラム24** 先生には、早期発見と保護者への報告をお願いしたいです！（6才男子の保護者）

Q23…子どもの状態を把握するためには、どうすればよいのでしょうか？ 43
Q24…学校にどのように相談すればよいでしょうか？ 46
Q25…特別扱いしてもらって、よいのでしょうか？　甘やかしになりませんか？ 46
Q26…入園後（入学後）1ヵ月過ぎても、子どもは園（学校）で話しません。
　　　　しばらく様子を見ていればいいでしょうか？ 47
Q27…少し話せるようになってきたので、もう大丈夫でしょうか？ 47
Q28…どこに相談に行けばよいのでしょうか？ 48
- **コラム25** 病院や自治体によって対応がとても違いました（4才男子の保護者）

Q29…なぜ検査を受けた方がよいのですか？ 49
- **コラム26** 「苦手な部分」と「得意な部分」がわかる（小3女子の保護者）
- **コラム27** 検査結果を活かして対応を丁寧に（小2男子の保護者）
- **コラム28** 言語性IQと動作性IQの差が18も（小4女子の保護者）

2 適切な環境を整える 51
2－A　保護者のみなさんへ 51
■子どもの不安に、共に取り組みましょう 51
Q30…子どもと接する時に大切なことは？ 51
- **コラム29** 本当の自信とは？（高1女子の保護者）

Q31…これはしてはいけないということはありますか?... 53
　　コラム30　話すことを強要してしまっていました（小5女子の保護者）
　　コラム31　いきなり教室で声を出すのは無理です（中3男子の保護者）
Q32…「なぜ学校（園）でお話ししないの？」と聞いても答えません。................................... 54
　　コラム32　「なにをするのかわかりません」（小3女子の保護者）
Q33…「学校で話せないこと」について、子どもに触れないほうがよいでしょうか？........ 56
　　コラム33　「話すこと」をあまり意識させないようにしました（5才男子の保護者）
　　コラム34　「どうしてしゃべれないの？」と、子どもに聞かれて（小1男子の保護者）
　　コラム35　「受け入れる」と「導く」（4才男子の保護者）
Q34…学校から帰ってきた子どもに「お話できた？」「お友達はできたの？」と聞いてしまいます。..... 58
Q35…子どもは自分の気持ちがなかなか言えません。... 59
　　コラム36　不安な気持ちをママには「ことば」で伝えて欲しい（小3女子の保護者）
Q36…きょうだいもいるし、話を聞いてあげる時間がなかなかとれません。....................... 60
　　コラム37　「耳かきタイム」（小1の男子の保護者）
Q37…子どもが初めて話した時、どんな反応をすればよいでしょうか？............................. 60

■緘黙児は十人十色 61
Q38…ことばの問題が関係しているようです。... 61
　　コラム38　家庭でことば遊びや絵本を楽しむ（小2男子の保護者）
Q39…感覚過敏があります。運動が苦手です。... 63
Q40…家ではおとなしいどころか、いばっていて、すぐかんしゃくを起こします。........... 64
　　コラム39　少し時間がたつと、考え直して修正できるように（中3男子の保護者）
　　コラム40　「髪型」にこだわり（小3女子の保護者）
Q41…家庭でも話さない全緘黙です。... 65
　　コラム41　全緘黙症になりました（4才男子の保護者）
Q42…学校に行きたがりません。... 67
　　コラム42　不登校時代を振り返って（40代男性の緘黙経験者）
　　コラム43　何が不安かを言えるようになりました（小3男子の保護者）
　　コラム44　遠回りでもいい（小4女子の保護者）

■周りの人に理解を求めましょう 70
Q43…友達から「Aちゃんはなぜお話ししないの？」と聞かれてことばにつまります。
　　コラム45　「しゃべれるよ！」って答えます（小1男子の保護者）
Q44…ほかの人に何と説明すればよいでしょうか？... 71
　　コラム46　お手紙渡しました（小1男子の保護者）
　　コラム47　入園後の自己紹介で説明（4才女子の保護者）
　　コラム48　耳鼻科で仕方なく説明しました（小6男子の保護者）
　　コラム49　クラブでの配慮をお願いする（中3男子の保護者）

■保護者の心の安定が大切
Q45…Knet資料に、治療には専門家が必要とありますが、相談できる専門家が見つかりません。
　　『場面緘黙児への支援』にある「支援チーム」は実際には難しいです。............................. 73
Q46…親が落ちこんでいます。... 74
　　コラム50　あせらず、ゆっくりが、モットー（5才男子の保護者）

　　　　コラム51 ウェブ上の掲示板で励まされて（高1女子の保護者）
　　　　コラム52 母親への支援がもっと欲しい（高1女子の保護者）
　　　　コラム53 どうか、一人でがんばりすぎないで（小1男子の保護者）

2－B　先生方へ 76
■先生と子どものコミュニケーションを大切にしましょう 76
Q47…緘黙児への接し方は？ 76
　　　　コラム54 答えを求めず、話しかけることから（中3女子の保護者）
Q48…子どもが答えやすい質問の仕方は？ 78
　　　　コラム55 どう答えたらよいか迷った時の答え方

■不安を減らし、自信を育てましょう 79
Q49…学校や園の先生が、まず最初に気をつければよい点は？ 79
Q50…幼稚園や保育園、小学校低学年でできることは？ 80
Q51…小学生以上の子どもへの対応は？ 81
Q52…出欠の返事や発表で声が出ません。... 82
　　　　コラム56 かけ算の発表（小3女子の保護者）
　　　　コラム57 緘動の子どもに先生がしてくださった対応でよかったこと（小5男子の保護者）
　　　　コラム58 特別扱いをしていると見えないように、特別の配慮をする（中3男子の保護者）
Q53…これをやると症状が悪化するということはありますか？ 86
　　　　コラム59 先生の「強要、人格否定、心理的脅迫」で緘動がひどく（小5男子の保護者）
　　　　コラム60 先生、勝手な解釈をしないでください（6才男子の保護者）
Q54…母親となかなか離れられません。... 87
　　　　コラム61 分離不安が強い娘の場合（小3女子の保護者）
　　　　コラム62 「守ってばかりいてはよくない」と言われましたが……（中3女子の保護者）

■クラスの理解を促進させましょう 88
Q55…クラスの子どもに、子どもの状態について何と説明すればよいでしょうか？ 88
Q56…子どもが初めて話した時は、どんなふうに接すればよいでしょうか？ 89
　　　　コラム63 学校で話せない子どもたちへ（小2男子の保護者）

■不登校やいじめに注意しましょう 91
Q57…学校に来にくいようです。... 91
　　　　コラム64 不登校の娘に対する小学校の先生の配慮にとても感謝しています（小4女子の保護者）
　　　　コラム65 薬と別室学習、先生との交換日記で乗り切りました（中3女子の保護者）
Q58…嘘や仮病を使って学校を休みます。... 93
　　　　コラム66 子どもの嘘について（小5男子の保護者）
Q59…いじめられているようなのです。... 94
　　　　コラム67 その都度担任の先生に報告（中3男子の保護者）
Q60…わがままで、問題行動があります。... 96

3　その子に有効なアプローチを検討する 97
Q61…治療や取り組みを考える時に大切な点は？ 97
Q62…どのような治療法や取り組みがありますか？ 98

Q63…入園入学前や新学年に備えて、できることは？ 101
Q64…スモールステップはどのように組めばよいのでしょうか？ 102
　　　コラム68　緘黙の取り組みは自転車の練習と似ています（小1男子の保護者）
Q65…スモールステップの「人」「場所」「活動」の順番は？ 103
　　　コラム69　二人の関係を大切に（小1男子の保護者）
Q66…小学校中学年以上の子どもの取り組みで大切なことは？ 104
Q67…スモールステップの取り組みを提案したら、激しく拒否されました。 105
Q68…コミュニケーション促進に効果的な活動はありますか？ 106
　　　コラム70　小グループ活動の効果（英国在住・6才男子の保護者）
Q69…「コミュニケーションの教室」などの通級教室とは？ 108
　　　コラム71　「ことばの教室」に通って（小3女子の保護者）
　　　コラム72　「コミュニケーションの教室」で少しずつ発話（小1男子の保護者）
　　　コラム73　「聞く」プロセス・「話す」プロセス
Q70…遊戯療法は、遊ぶだけで効果があるのでしょうか？ 112
Q71…保護者には子どもの遊戯療法の様子を見せてもらえないのはどうしてですか？ 113
Q72…医師からお薬を勧められましたが…… 114
　　　コラム74　デプロメールを中1の5月から服用（中3男子の保護者）
　　　コラム75　プロザックを6才から服用（米国在住・12才女子の保護者）
　　　コラム76　プロザックについて（英国在住・6才男子の保護者）

第3章　実践 ―スモールステップの取り組み― 117

1　保護者と教師との取り組み 118
①お母さんとの放課後作戦 118
　　　コラム77　幼稚園の先生と保護者と次女の取り組み（5才女子の保護者）
　　　コラム78　先生との取り組み―家庭から学校へ―（小2男子の保護者）
②ビデオを用いた放課後作戦「イメージ・トレーニング」 122
　　　コラム79　校内で自分らしく遊べることを目標に（小5男子の保護者）
　　　コラム80　放課後の教室でビデオ撮影、先生にも見ていただきました（小2男子の保護者）
③お母さんとの春休み作戦・夏休み作戦 124
　　　コラム81　入園前にやってよかったこと（4才男子の保護者）
　　　コラム82　中3夏休みの取り組み（中3男子の保護者）
④非言語的コミュニケーションの促進 126
　　　コラム83　放課後、先生に子どもが作ったお話を見ていただきました（6才男子の保護者）
　　　コラム84　「ことばカード」を作った時のこと（小1男子の保護者）
⑤テープ録音・ビデオ録画作戦 127
　　　コラム85　音読をテープに録音（中3男子の保護者）
　　　コラム86　留守電録音・呼吸法を用いた会話練習（臨床心理士）
　　　コラム87　トーキング・トイについてのお話（英国在住・6才男子の保護者）
⑥「ことばの橋渡し役」を使う方法 129
　　　コラム88　人から人へのスライディング・イン手法（英国在住・6才男子の保護者）

2　教師との取り組み 130
⑦先生との交換ノート 130
　　コラム89 先生との交換ノートで会話のキャッチボール（中3男子の保護者）
⑧家庭訪問しましょう 131
　　コラム90 家庭訪問で先生と遊んで（小2男子の保護者）
⑨先生とのスモールステップ 132
　　コラム91 中3での取り組み（高1男子の保護者）
　　コラム92 音楽のリコーダーでの取り組み（小5女子の保護者）

3　保護者との取り組み 138
⑩自分の不安を得点化する方法 138
　　コラム93 電話作戦のあとの得点化（中3男子の保護者）
　　コラム94 近所であいさつができるように（小2女子の保護者）
　　コラム95 先生への安心度を測る（英国在住・5才男子の保護者）
⑪友達を家に呼んで遊びましょう 140
　　コラム96 騒がしいゲームをしました。（小1男子の保護者）
　　コラム97 吹くなど、口を使う遊びを取り入れて（小1男子の保護者）
　　コラム98 クリスマスで「ダックボイス」（小1男子の保護者）
⑫家の外、そして学校で友達と遊びましょう 142
　　コラム99 仲のよいお友達といっぱい遊んで（小1男子の保護者）
　　コラム100 友達K君との放課後の取り組み（小1男子の保護者）
　　コラム101 小学校の校庭で家族でキャッチボール（小6男子の保護者）
⑬電話作戦 144
　　コラム102 「友達との電話」に挑戦（小3女子の保護者）
　　コラム103 電話に慣れる練習から（英国在住・6才男子の保護者）
　　コラム104 「友達とのメール・電話練習」から「友達との学校での会話練習」へ（中3男子の保護者）
⑭お買い物作戦 147
　　コラム105 買い物で「ありがとう」を言う練習（5才男子の保護者）
　　コラム106 お店での注文（小6男子の保護者）
⑮ごほうびを用いて会話をうながす方法 148
　　コラム107 ポイント制でごほうび（中3男子の保護者）
⑯ペットを飼う方法 149
　　コラム108 アニマルセラピーやってます♪（高3女子の保護者）
⑰あいさつに挑戦 150
　　コラム109 子どもがやりやすい方法・ことばから（5才男子の保護者）
　　コラム110 「本人の気持ちを無視して、進めてもつらいだけ」と（小4女子の保護者）

Knet資料 152
役立つサイト 153
文献・サイト 153
あとがき 156
著者紹介 158

装丁：大野　敏／挿絵：林　美子／本文デザイン：プリントハウス

第1章　理解

1 「場面緘黙」とは?

Q1…先生から「お子さんは学校で話しません」と聞いて、びっくりしました。

　家では普通におしゃべりするのに、幼稚園や保育園、学校などの社会的場面で話すことができない状態を「場面緘黙(ばめんかんもく)」と言います。家では問題なく話すため、長い間気づかず、先生から聞いて驚かれる保護者が多いのです。「選択性緘黙」とも呼ばれています。本書の本文では「場面緘黙」「緘黙」「緘黙児」という用語を用います。

- 発症時期…多くは2〜5才、入園や小学校入学時、また小学校低学年までに発症します。
- 出現率…男子より女子の方が多く、日本のこれまでの調査では0.2〜0.5%くらい、近年の海外メディアでは0.7%[1]をあげることが多いようです。仮に0.5%と考えると、200人に1人の割合です。
- 特徴…場面緘黙は、不安から生じる状態であり、恐怖症の一つではないかと考えられています。子どもは、話しているところを見られたり聞かれたりすることに恐怖を感じます。
- 原因…複合的な要因がかかわって生じます。子どもによって影響している要因が異なるが、多くの緘黙児が不安になりやすい気質を生まれつきもっているのではないかと言われています。

●この状態を理解するために重要な点は、子どもはわざと「話さ・ない」のではなく、不安や緊張のために「話せ・ない」ということです。

　本人が自分の意思で、話す場面を選んでいるわけではありません。ある状況におかれると、自分の意思に関係なく、いくら声を出そうとしても、どうしてもことばがのどにつっかかったようになり、話すことができないのです。声が出ないだけでなく、体を思うように動かせない緘動(かんどう)[2]という状態もあります。また、家でも話すことができない状態を全緘黙と言います。

コラム1　恐怖ばっかり（高校生女子の緘黙当事者）

　保育所では、外に出ると友達とは話せていた。保育所では緘黙症が激しかったのか、身体が動きませんでした。一つ一つやることに、誰かが「次は○○○をするんだよ」とか言われないと、何一つ行動できなかった。いちいち誰かに言われないとその場に突っ立ったままでした。今考えると悲しくなってくる。先生も苦手だったみたい。親は……困っていたようだ。いや、怒っていた。私は、虫と動物全部無理で、スポーツも全くできない。虫とかでは蟻（あり）でも無理、動物なら犬も無理だし。ハムスターも無理。虫のおもちゃや絵や写真だけでも、鳥肌が立つ。人間にも結局、怖がっているだけ。雷もコワイ、地震もちょっと家が揺れた感じだけで恐怖になる。狭い部屋や電車の中の狭さ息切れしそう……。勉強もできない。絵も上手くない。恐怖ばっかり。何もかもだめだ……。

コラム2　場面緘黙になったきっかけは保育園入園？（30代女性の緘黙経験者）

　それは、私が3才のころ、突然の出来事だった。ある日、母親の自転車に乗せられ連れて行かれた保育園。母親はきっと私に「明日から保育園だよ」なんて言い聞かせていたんだろうと思うのだけれど、そんな記憶は全くない。本当に突然だった。母親に手を引かれ大きな赤茶色の鉄でできた門を開けて入る。待ち受けるは保母さん。大人の会話は耳には届かず、保母さんと母親は何か話し、そして私を置いて帰っていく。私は何が何だかわからなくて、必死で泣き叫び、母親を追いかけようとする。でも保母さんが私を抱きしめるから、母親を追いかけて行けない。こんなに私が泣いているのに、母親はどんどん遠ざかっていく。「このまま、私はどうなってしまうんだろう」。その記憶がいまだに鮮明に残っている。その日、その後、自分は何をしていたのか全く記憶はない。どうやって家に帰ったのかも覚えていない。その時のショックはあまりにも大きすぎた。今まで生きてきて、緘黙となったきっかけはあの一瞬だったに違いないと思っている。

コラム3　ハリー・ポッターの「透明マント」が欲しかった（20代男性の緘黙経験者）

　中学に入ってからは、気がつくと居心地悪かったです。最初ははにかむ程度でしたが。何があった、というのはなかったように思います（覚えてないだけかもしれないですが）。人の目つきが気になりました。「こんなふうに思われているのではないか」と思って、自分がそう思い込んでいるだけだと頭では理解はしていたのですが。ハリー・ポッターに出てくる「透明マント」的なものが最も必要なころでした。一番強く感じたのが体育の時間への嫌悪感です。被害妄想的な考えが一番強かったのはこの時間でした。チーム分けの時とかもう申し訳なかったですね……運動はものすごく苦手だったので。中2になって、体育の授業がある朝には必ず腹痛を起こすようになってました。

コラム4　嵐が止むのを、家の中でジッと身を潜めて待っている感じ（40代男性の緘黙経験者）

　保育園のお遊びの時間はたいてい、下駄箱横の柱にもたれ皆の遊んでいる様子を見ていた。輪の中に入りたいのだが入れないのである。10日に1回くらいは保母さんが「○○ちゃんいっしょに遊ばない？」と声をかけに来る。声をかけられても、毎回中に入るわけではなかった。それはあまり楽しくないのと、周りの園児が「なんでこいつが来るんだよ」という目つきをする。なんとなく、人がどう考えているか想像がついた。そのうち保母さんも、『ああ、あの子はいつもそうなの』と誘わないで終わってしまうようになった。仲間に入るきっかけを作れない。きっかけができても歓迎されない。私にとってなす術がなく固まってしまい、思考も途絶えてしまう。それは大人になってからもちょくちょく起こることだった。

　お昼が終わってお寝の時間になる。私は"ウンチが近い"ようで、すぐもよおす。行きたくても言

えない。それでもらしてしまう。お昼寝が終わって、ウンチをお尻にはさんだまま歩いていると、同級生が気づく。無理もない、ズボンにまでにじみ出しているのである。「ああ〜っ、こいつウンチもらしてるぞー」と面白がって、自分の指にすくったものを人の顔辺りになすりつけてくる。『くっつけたりするなよ、こいつ。ほっといてくれ』と心の中で言ってもことばにならない。そのうち保母さんも気がつく。「○○ちゃん、またなの……」と、さも嫌そうに、園庭の隅に私を連れて行き、やおら私のズボンを脱がす。バケツにくんだぬるま湯でそれを流す。保母さんはこの作業を同級生の見ている前、それも屋外で行なうのであった。『先生やめてよ、誰も見てないところでやって』と声にならない声を出すのだが、蚊の鳴くような声なので聞こえない。「この子、なんだかブツブツ言ってるのよ」と同僚に耳打ちする。「あなた今なんて言ったの？　もう一度言ってみてごらん」とは一度たりとも聞いてくれなかったのである。

　「あんたまたおもらししたの？　しょうがないわね」と母。なぜなら保育園で貸してくれる着替えは、その時代であっても誰もはかないようなトランクスに、時代遅れの半ズボンなのである。なので、保育園の送迎バスを降りた途端に一目瞭然(りょうぜん)となるのであった。私は、保育園では保母さんにうとましがられ、家に帰れば母親からさげすまれ、自分の心情を出すところがなかったのである。今考えると、「緘黙」あるいは「緘動」している時の心境は、嵐が止むのを、家の中でジッと身を潜めて待っているような感じだった。

コラム5　重苦しくて、押しつぶされそうな気持ち (20代男性の緘黙経験者)

　小学校4年生の時、転校先の学校で、私は以前の学校のように話すことができませんでした。そして、この時をきっかけに、学校で緘黙してしまうというスタイルが何ヵ月、いや何年も続くことになってしまいました。かすかな記憶をひもといてみると、転校の緊張、なじめないクラスの雰囲気、いじめ……これらによってひどく萎縮(いしゅく)してしまい、話すことができなくなったのではないかと思います。

　転校間もないころ、前の学校とはまるで違う雰囲気に、かなりとまどったことを覚えています。私の目から見て荒っぽい感じの人がとても多く、気の小さい私はとてもなじむことができませんでした。それから、かなりいじめられました。この時は、学校で話せないことよりも、いじめに悩んでいました。いじめは前の学校でもあったことなので、ある程度覚悟はしていましたが、この時は少しひどかったです。クラス中の子どもたちからいじめを受けました。私は小4にもなるのに毎日のように泣いていました。といっても、いじめられたから緘黙になったのか、緘黙になったからいじめられたのか、よく覚えていません。ただ、これによって学校ではひどく萎縮してしまい、思うようにふるまうことができなかったことは間違いありません。

　学校は、私にとってこれまでになく居心地の悪い場所でした。学校にいるとなんだか重苦しくて、押しつぶされそうな気持ちになりました。耐えられなくて、泣きながら担任のN先生に助けを求めたことも何度かありました。それに対する先生の反応は、「もっとしっかりしなさい！」と私を叱りつけるというものでした。先生は私をちゃんとクラスメイトとして扱ってくださいましたし、私に対して特別に不利益を与えるようなことはありませんでしたが、いじめられたり泣いたりした私に対しては厳しかったです。

　そのほか、これまで自由服だったのに制服になったこと、学校までの道のりが従来に比べて少し遠くなったこと、隣の隣の家に住んでいたOさんの娘さんはクラスが別だったこと、方言にとまどったこと、といったこともありましたが、私にとっては些細(ささい)なことでした。とにかく、毎日の学校生活が苦痛で仕方がありませんでした。苦行のような忍従の日々の始まりでした。

Q2…「場面緘黙」とは？

「緘黙」は、もともとは「口を閉じ、話すことをしない」という意味です。話さない状態には、場面緘黙以外に、聴覚障害、精神発達遅滞や自閉症や統合失調症の一症状、ヒステリー性のものなどがあげられます[3]。米国の「DSM-Ⅳ-TR 精神疾患の診断・統計マニュアル」（以下DSM-Ⅳ）では「選択性緘黙」という名称で、次のような診断基準が記載されています。

> A　他の状況では話すことができるにもかかわらず、特定の社会状況（話すことが期待されている状況、例：学校）では、一貫して話すことができない。
> B　この障害が、学業上、職業上の成績、または対人的コミュニケーションを妨害している。
> C　この障害の持続期間は、少なくとも１ヵ月。（学校での最初の１ヵ月間に限定されない）
> D　話すことができないことは、その社会状況で要求される話し言葉の楽しさや知識がないことによるものではない。
> E　この障害はコミュニケーション障害（例：吃音症）ではうまく説明されないし、また、広汎性発達障害、統合失調症、またはほかの精神病性障害の経過中にのみ起こるものではない。

高橋三郎他訳（2002）「DSM-Ⅳ-TR 精神疾患の分類と診断の手引」医学書院より

「場面緘黙」は、以下の状態と混同されやすく、また区別しにくい場合があります。

> ・心的外傷性緘黙…ショックな出来事から受けたトラウマ（心的外傷）が原因で発症する全緘黙。
> ・ヒステリー性失声…ストレスやショックな出来事によって発声器官が麻痺する。
> ・失語症…事故や血管障害によって脳の言語中枢の器質的原因によってことばが出なくなる。
> ・自閉症・アスペルガー障害などの広汎性発達障害…場面緘黙とは異なります。しかし、広汎性発達障害で場面緘黙の症状がある子どもがいます。また、近年の海外研究では、発達障害がある子どもたち、すなわち中枢神経系に何らかの機能障害があると推定される子どもが、緘黙児の中に含まれていることがわかってきました。

DSM-Ⅳでは緘黙の症状のみを診断基準としてあげ、場面緘黙を共通した症状がある一つの障害としています。しかし、場面緘黙は、単一の原因によって生じる状態ではなく、子どもによって症状の背景が質的に異なります。また、緘黙の症状はこの状態の一つの症状に過ぎません。

本書ではDSM-Ⅳの診断基準に厳密には当てはまらない子どもでも、場面緘黙の症状がある子どもを「緘黙児」としています。

●緘黙の症状だけにとらわれず、子どもの全体の状態を十分把握することが必要です。

Q3…なぜ話せないのでしょうか？

●子どもは「不安」のために、話せません。
●身体が、緘黙の症状によって「不安」から子どもを守っています。
●緘黙という、不安への対処法が、習慣となり固定されがちです。

　人間が危険な目にあうかもしれない状況に置かれると、「不安」や「恐怖」を感じます（表1）。心臓がドキドキして、体が緊張します。脳の扁桃体（アミグダラ：amygdala）というアーモンドの形の部位が、来るかもしれない危険のシグナルを交感神経系から受け取ると、危険に備える体の状態になるためと言われています。危険に対して自分の身を守るため、「闘うか、逃げるか」素早く反応できるように、体の状態が変化するのです。恐怖のあまりのどが閉まり、声が出せなくなる身体の感じは容易に想像できるでしょう。緘黙児の場合、その不安や恐怖を感じる状況というのが、学校や身内の集まり、おつかいなどの社会的場面なのです。

表1　不安や恐怖による身体の変化

不　安	安心・リラックス
心臓がドキドキ鼓動	心臓はゆっくり鼓動
末梢血管収縮	頭部の血管が拡張
呼吸が速くなる	呼吸はゆっくり
胃腸の働きが低下	胃腸の働きがよい
汗をかく	汗をかかない
身体が緊張・筋肉が硬直	筋肉が弛緩

　子どもは自分の意思で話さないのではありません。自分でもなぜ話せないかわからないのです。緘黙児は見た目では不安そうに見えないことが多いようです。身体が、緘黙という症状によって、「不安」から自分を守っているのです。緘黙の症状は、不安への対処法の一つと言えるでしょう。そして、不安の大きい環境のままでは、話そうとすると不安が高まり、黙っていると一時的に不安が下がります。身体が話さないことで安定をはかるようになり、症状が固定するのではないかと考えられています。

Q4…緘黙児はどんな様子でしょうか？

●子どもによって状態は非常に異なります。

　幼稚園や保育園（以下「園」と示す）、学校では全く声が出ず、誰とも話すことができない子どももいますし、小さな声ならば話せたり、決まった友達とならば話せる子どももいます。聞かれたことには答えられるけれども、自分からは話しかけられないという子どももいます。

　緘動といって、体が硬直して動けず、無表情でじっと立ちつくしてしまう子どももいます。また、リラックスしていて活発にみえる子どもや、表情豊かに自己表現できる子どももいます。子どもは「話さない」という対処法によって、不安を感じていない場合があります。また、自分の不安を人に知られることを恐れて、不安を表情や態度に表わさないようにする子どももいます。

◆こんな様子はありませんか？

- 緘黙…学校や園で話せない。
（場面緘黙の子どもには次のような状態が見られることがあります。）
- 緘動…ぎこちない硬直した様子。動作がゆっくり。
- 反応がない・反応がゆっくり…無表情。答えを返すのに時間がかかる。指示がないと動けない。なかなか取りかかれない。自分で決められない。
- 非言語的な働きかけが困難…自分から、合図を送ったり、働きかけるのが難しい。自由時間に友達と遊べない。
- トイレの問題…学校のトイレに行けない。排尿や排便の失敗が多い。夜尿がある。
- 食事の問題…給食が食べられない。偏食が多い。
- アイコンタクトが困難…人と目を合わせない。人の視線が怖い。
- 分離不安…母親と離れにくい。
- 身体機能の問題…身体バランスが悪い。運動が苦手。不器用。
- 敏感…人や場所の雰囲気にとても敏感。何かを怖がることが多い。
- 感覚過敏…光や雑音や人混みが苦手。臭いや味や舌触りが過敏。
- 完全主義…融通が利かない。曖昧なものが苦手。
- 過剰な心配…ささいなことが気になる。予定通りでないと不安になる。
- 身体の不調…朝起きにくい。腹痛を起こすことが多い。
- 学校と家庭の状態の差…家庭では、仕切りたがり、頑固で怒りっぽい子や、とてもおしゃべりでひょうきんな子もいる。

●緘黙の症状は、子どもがもつ「不安の現れ」で、その中の一つにすぎません。

Q5…場面緘黙に軽度や重度はありますか？

米国のSMart（スマート）センターでは、コミュニケーションにおける安心感尺度のそれぞれの段階を示した「緘黙のステージ」（SM-SCCS©）で、子どもの状態を把握します。話せるかどうかだけではなく、様々な社会的状況で、どれだけ安心してコミュニケーションをとれているか、その程度を調べる必要があります（Knet資料No.4参照）。

・コミュニケーションには、次の3つのステージがあります（図1）。
ステージ0　→　ステージ1　→　ステージ2
「コミュニケーションの欠如」　「非言語的コミュニケーション」　「言語的コミュニケーション」
・ステージ1と2では「a 応答」と「b 働きかけ」を区別します。人からの指示や質問に答えるよりも、自分から人に働きかける方が難しいためです。
・ステージは1日の学校の生活の中でも、周りの状況によって変動します。
・子どもは通常、この階段を上って回復していきます。

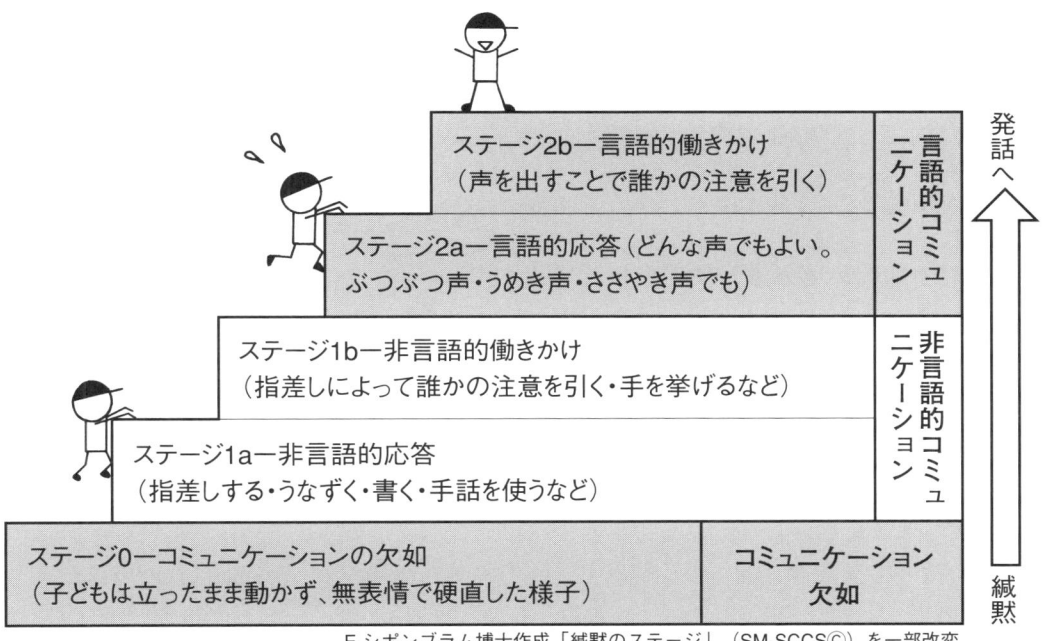

E.シポンブラム博士作成「緘黙のステージ」（SM-SCCS©）を一部改変

図1　緘黙のステージ

例えば、Aさんは、学校外や家では友達と普通に会話ができますが（ステージ2）、学校にいる時は、友達にうなずき、指差しを使って返事をします（ステージ1a）。

Bさんは、教室にいる時、友達に小さな声で応答しますが（ステージ2a）、先生に質問をされた時は、黙って硬直し、無表情で応答もできません（ステージ0）。

Q6…子どもの不安は、何によって決まるのでしょうか？

子どもの不安や発話に影響する状況の要素には、大きく分けて「人」「場所」「活動」の三つの要素があります[4]。

- 「人」…誰に向かって話すか。その場に誰がいるか。人数は何人か。
- 「場所」…学校や学校の外。学校なら、運動場か校舎か。学校のどの部屋で、部屋のどの位置か。体の向きやついたての有無など。周りはざわついているか静かなど。「時間帯」という要素もある。
- 「活動」…どんなことをするか。どの程度話すことを求める活動か。体の動きを伴うかなど。

コラム6　失敗経験が重なると症状が悪化（40代男性の緘黙経験者）

私は、しゃべれなくとも、国語の音読みはできました。また音楽の独唱テストでもそこそこの歌声は出せました。しかし、ごく数人の友達以外は、自由に雑談する場面で全く話せませんでした。なにをもって「重症」とするかですが、河井芳文・河井英子著『場面緘黙児の心理と指導』[2]によると、以下のような記述があります（図2）。

①動作・態度表出（その場面に足を運ぶ）
②感情・非言語表出（会釈、うなずき、視線の交換など）
③言語表出（適切なことばでコミュニケーションをはかる）　　※（　）内筆者加筆

これらの3つの水準に分けて考えられ、なんらかの緊張で適応行動が行きづまる場合、③⇒②⇒①の順に破綻します。③、②での失敗が重なり緊張が頂点に達すると、我々は社会的場面に足を運ぶことすらできなくなります。およそ動作や態度に困難が現れる子どもは、緘黙の段階としてはより深刻な段階にあるといえます。症状が悪化するかどうかは、失敗経験が重なるかどうかがポイントのような気がします。失敗経験とは、周囲の判断でなく、子どもの主観的レベルの話ですので、同じことがおこっても周囲が暖かく見守ることで、「こういうことをしてもよいんだ」と子どもが思えば、失敗体験とはならないのです。

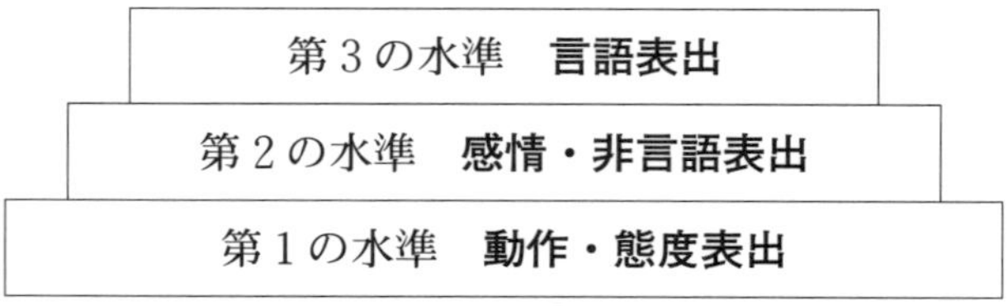

第3の水準　言語表出
第2の水準　感情・非言語表出
第1の水準　動作・態度表出

河井芳文・河井英子（1994）『場面緘黙児の心理と指導』より

図2　社会的場面におけるコミュニケーションが成り立つための階層構造

第1章　理解

Q7…おとなしい子どもや寡黙（かもく）な子どもと、どう違いますか？

　場面緘黙は恥ずかしがり屋の極端な場合と考えてよいのですが、恥ずかしがり屋やおとなしい子どもに比べてその程度が激しいことと、不安によって自分の力を発揮することが著しく妨げられているという点が異なります。

●場面緘黙は小児期の不安障害であり、恐怖症の一つのタイプではないかと考えられています。

　場面緘黙の子どもの問題は、ただ「話せない」というだけではありません。緘黙児の多くが社会恐怖（社会不安障害）をもっているという研究があります[5)][6)]。また、特定恐怖症（例えば、高所恐怖症やヘビ恐怖症など）の特別なタイプではないかと考えられています[4)]。この子どもたちは、社会的場面で「不安」や「恐怖」を感じます。人と視線を合わせたり、評価されたり、批判されたり、注目されることが怖いのです。学校は緘黙児にとって「1日中舞台の上に立たされている」ような状態なのです。

Q8…大人が質問するとゆっくり答えることができますが、同年代の子とは話せません。こんな状態でも場面緘黙なのでしょうか？

　小児科医や精神科医の診断は、DSM-Ⅳの診断基準を元に診断することが多いようです。

●「選択性緘黙」「場面緘黙」と診断されない子どもでも、場面緘黙としての理解や対応が必要な場合があります。

　例えば、少しは話ができる子どもの中には、このまま不安が高い環境にさらされ続けると状態が悪化する子どもや、緘黙の症状はかなり改善されてきたけれども、環境によっては後退してしまう可能性がある子どもがいます。DSM-Ⅳの診断基準では、緘黙の症状のみが取り上げられています。しかし緘黙の症状は「場面緘黙」の一症状に過ぎません。「診断」と「理解と対応」は区別して考える必要があります。

コラム7　少し話せるために、かえって理解されにくい（高1女子の保護者）

　「話しづらいけれど、少しは話せる状態」の悩みが、うちの子にとって深刻な問題でした。「話せるのに話さない」と、誤解されやすくなってしまいます。やっとの思いで話し始めた子にとって、状況によってはスムーズに話せないことや、声が小さいことを友人や先生から指摘されたり責められることは、大変悲しいことです。うちの場合には、このことから不安が大きくなり学校に行けなくなってしまった時期もありました。この子たちにとって、状況によっては話をすることに大変な努力をともなうということが理解され、あたたかく見守られる環境が整うよう願っています。

Q9…「場面緘黙」「場面緘黙症」「選択性緘黙」のうち、どれが正しいのですか？

　現在、日本語版のDSM-Ⅳの診断名は「選択性緘黙」です。しかし、「選択性」ということばは誤解をまねくことが多いようです。そのため、本書やＫnet資料では「選択性緘黙」ではなく「場面緘黙」という用語を用いています。

●1994年、DSM-Ⅳで診断名が"elective mutism"から、"selective mutism"に変わりました。

　"elective"という単語は、子どもが特定の場面でわざと話さないことを「選んでいる」ような語感があり、心理学者ですらそのように誤解しているような状況が広まっていました。英語の"elect"は自分の意思で選ぶ、"select"は自分の意思というより周りの条件によって絞(しぼ)られてくるというような語感があるようです。つまり、次のような理解が大切です。

●「話さ̇ない」のではなく不安のために「話せ̇ない」。
●自分の意思で話さないのではない。
●自分の意思で、場面を選んで話せるのではない。

　本書では「場面緘黙症」とせず「場面緘黙」という用語を用いています。保護者の中には子どもに、否定的なメッセージを送ることを少しでも避けたいと考える人がいるためです（ただし、コラムの中の「場面緘黙症」「緘黙症」という用語は、当事者や保護者が書いたとおりの表記にしてあります）。

　「症」がついていなくても、「場面緘黙」が、ただおとなしい子どもとして放置されてはならない状態であること、また次のようなことを忘れないでいただきたいと思います。

　　・場面緘黙は、小児期の不安障害や恐怖症の一つのタイプではないかと考えられている。
　　・場面緘黙は「症状」であり、子どもの個性と周りの環境がうまく折り合っていないことを知らせるサインである。
　　・場面緘黙という「症状」は、学校での子どもの活動を制限し、子どもがもてる力を発揮することを著しく阻害(そがい)する。

　日本語の名称については、今後も議論と再検討を重ねていく必要があると思います。

2 原因

Q10…なぜ場面緘黙になるのでしょうか？

● 場面緘黙は単一の原因によって生じる状態ではなく、子どもによって影響している要因が異なります。
● 複数の要因が複雑に絡み合って生じます。

　なぜ場面緘黙になるのか、まだ詳しいことはわかっていません。緘黙児の多くは、不安になりやすい気質、つまり「抑制的な気質」を生まれながらもっているのではないかと考えられています（図3）。また、緘黙児の中には、発音しにくい音があるなど「神経生物学的要因」の影響が推定される子どもが、かなりいることがわかってきました。このような主に先天的なものに、例えば入園や小学校入学、引っ越しのような「環境要因」が加わり、不安が増大するのではないかと考えられます。抑制的な気質をもつ子どもたちは、なじみのないものや場所に慣れるまで時間がかかるため、また、神経生物学的な問題があると、環境から負荷がかかることが多く、社会的場面で不安が高くなりやすいのです。そこに、ある出来事が起こり、のどの筋肉が硬直し、緘黙の症状が出るのではないかと考えられます。きっかけとなる出来事が見あたらない場合もあります。

　家庭での会話よりも、社会的場面での会話のほうが複雑で高度です。社会的場面で人とコミュニケーションしようとすると不安が高まりますが、黙っていると一時的に不安が軽減されるため、子どもは緘黙によって不安に対処するようになります。不安を下げ発話をうながす適切な環境が用意されない場合、緘黙の症状はますます強められ、固定されてしまうのです。そして、不安を感じる場面を次第に避けるようになり、このような回避行動は捨てることが難しい習慣的な行動パターンとなっていきます。

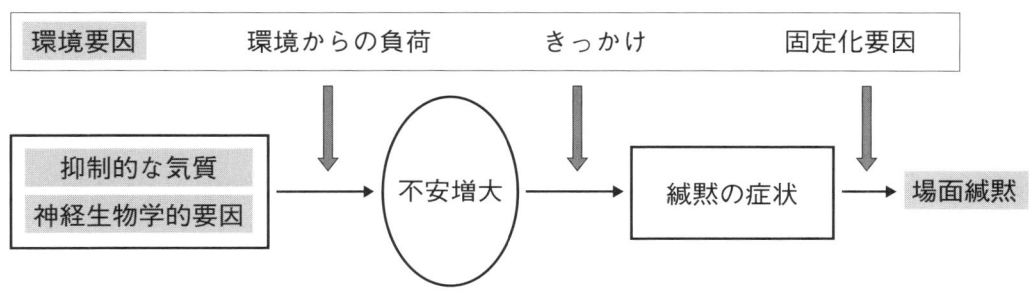

図3　場面緘黙の発症のプロセス

(1) 抑制的な気質

　赤ちゃんのころから、見慣れない物には近づかなかったり、人見知りが激しかったり、新しい物に対して強い不安を示し、何かに慣れるのにとても時間がかかる子どもがいます。このような子どもたちは成長後も「行動抑制」しがちで、「他人に対して慎重な態度をとる」「目立つことを嫌う」「新しい状況になじむのに時間がかかる」というような特徴を示すことが多いようです。緘黙児には、このような抑制的な気質を遺伝的傾向としてもっている子どもが多いのではないかと言われています（Knet資料No.9）。

　抑制的な気質の子どもは、脳の扁桃体（アミグダラ：amygdala）というアーモンドの形の部位の反応閾値＊が低く、刺激に対して過敏に反応してしまうのではないかという研究仮説があります。動物は、恐怖を感じるような出来事に出会うと、危険のシグナルを脳の扁桃体が受け取り、自分の身を守ろうとする働きがあります。この子どもたちは危険を感じる程度が、普通の人よりも敏感で繊細なために、小さな刺激に大きな不安を感じてしまうのではないかと言われています。それで家では普通なのに、学校や人が集まる場所、特に新しい場面で、不安を感じやすいのです。

　繊細で感じやすいという点は、マイナス面ばかりではありません。このような子どもは、鋭い感覚と豊かな感受性、きめ細やかな感性を育んでいくことができます。また、芸術的センスを持ち合わせている場合も多く、豊かな内的世界を創り上げていくことができます。静かで精緻（せいち）な人生を生き、偉業を成しとげた人もいます。

　この子どもたちは、人と活発にコミュニケーションしたいとは思っておらず、ともすれば一人でいることを好む傾向があります。新しい体験を少しずつ積んで、ゆっくりと社会性をのばしてあげることが大切です。

＊閾値【イキチ、シキイチ】…ある系の応答を引き起こすに必要な刺激や入力の最小限の値。

コラム8　生まれつき行動抑制的な子ども

　J.ケイガン（1988）の研究7）では、新しい人や新しい状況に慣れることが難しく、引っ込み思案な幼児が、10～15％の割合でいることに言及し、「行動抑制」と扁桃体の関係について示唆しています。これらの子どもの心拍数はもともと高く、可変性が少なく、ストレス下ではさらに速くなります。おそらく緘黙児には、このような気質を生来的にもっている子どもが多いのではないかと考えられます。「行動抑制」「シャイネス」「抑制的な気質」について、脳科学の分野で多くの研究がされています。

(2) 神経生物学的要因

　緘黙児の中には、幼少時に苦手な分野があったり、ことばの発達がゆっくりだったことが発症に影響したと考えられる場合があります。次のような発達の遅れや発達のアンバランスをもっている場合があります。

- 話しことばや言語の問題（ことばの意味を理解するのに時間がかかる。単語の想起や文章構成に時間がかかる。発音しにくい音がある。吃音〔どもること〕があったり、言語表出がなめらかにいかない。）
- 発達障害（境界域知能や発達障害と診断されなくてもその傾向がある場合を含む。）
- 感覚過敏（食べ物や着るものの好き嫌いが激しい。光や音に敏感。独特のこだわりがある。ちょっとしたことが気になる。）
- 非言語領域の問題（状況・場の雰囲気の読み取りが苦手。見通しをたてにくい。目と手の協応に問題がある。不器用。）
- 身体発達の問題（身体発達がゆっくり。身体の動きがぎこちない。体のバランスがとりにくい。運動が苦手。）
- 妊娠出産時にトラブルや異常
- まれに聴覚障害

(3) 環境要因

　緘黙の発症にかかわる環境要因は、長期間にわたり継続的、あるいは断続的に影響を与えたものから、ある期間作用したもの、1回の出来事まであり、実際にはそれらが組み合わさっています。環境要因は、子どもの主観的体験がどうだったかという視点で考えることが必要と思われます。

- 急激な環境の変化（入園や小学校入学、引っ越し。転校で前の学校とクラスの雰囲気が違った。方言がなじめなかった。）
- 恐怖体験、つらかった体験、失敗体験（何かで怖い思いをした。病気やけがをした。学校や園で何か傷つくようなことをされたり言われたりした。いじめられた。トラウマ体験。）
- 社会的要因（女の子は無口であることが社会的に容認されやすく、緘黙の症状が強化され固定されやすいのではないかと考えられている。）
- バイリンガル環境（2言語を用いる家族の中で育つ。なめらかな言語使用が難しい。家庭と学校で文化差がある。）
- まれに不適切な養育環境（虐待やネグレクトなど）

Q11…「場面緘黙」は遺伝しますか？

「場面緘黙」がそのまま子どもに遺伝するとは考えられていません。

●抑制的な気質という素因、つまり不安になりやすい気質が遺伝する場合があるのではないかと言われています。

緘黙児の家族に、極端に内気な人がいることが多いという研究があります[5) 8)]。緘黙児が、遺伝によって抑制的な気質を受け継ぐためなのか、共に生活するうちに受ける影響もあるのか、はっきりしていません。また、緘黙児の中でも、抑制的な気質の影響は小さい場合もあることを示唆する研究があります[9)]。

幼少期からなじみのない場所でおとなしく引っ込み思案なところがあり、親や親戚に極端に内気な人がいる子どもで、発症に影響した特別な出来事や神経生物学的な問題が特に見あたらない場合は、抑制的な気質が発症に大きく影響しているのではないかと思われます。

●抑制的な気質をもつ子どもが、場面緘黙などの不安症状を示すかどうかは、子どもがどのような環境におかれるかが大きいと思われます。

現在の変化の多いストレス社会は、このような気質の人にとってたいへん生きにくい世の中といえます。新しい刺激に対して鈍感な気質の人と比べると、当然大きなストレスがかかることになります。親が場面緘黙だった場合や、赤ちゃんのころから極端に恐がりで引っ込み思案な場合は、小さいころから環境面での配慮が望まれます。

入園入学、引っ越し、転校などの環境の変化は、大きなストレスがかかりやすく要注意です。このような子たちには、ウォーミングアップが必要です。早めに準備し、前もって慣れるようにしてあげましょう。また、子どもに新しい体験を少しずつさせて、社会性や自己表現をゆっくりとのばしてあげるような工夫をしましょう。

Q12…発達の問題と場面緘黙は関係ありますか？

　緘黙児は、検査や診察で話せないことも多く、発達の問題が見えにくい場合が多いようです。緘黙児のおよそ3分の1が、表出性言語障害や音韻障害など、話しことばや言語の微細な問題をもっています（Knet資料No.1、2）。また、保護者に対する面接調査の結果、運動発達の遅れや軽微な身体的異常、周産期（妊娠後期から新生児早期）に何らかのトラブルがあった子どもが、ほかの子と比べて緘黙児には多いという研究があります[10]。

　教育の分野や行政政策上で、場面緘黙は発達障害に含まれません。しかし、緘黙児の中には、発達障害（**表2**）が場面緘黙の発症に影響したと考えられる子どもがいます。発達障害とは、主に先天的な神経生物学的要因によって起こり、発達の遅れや発達のアンバランスがある状態を指します。養育態度の問題など心理的な環境要因や教育が原因となったものは含めません。

　DSM-Ⅳの選択性緘黙の診断基準では、精神発達遅滞などによって話しことばの知識が少ないために緘黙の症状がある場合や、広汎性発達障害、コミュニケーション障害は含めません（Q2参照）。しかし、実際には明確な診断が難しい場合も多く、診断基準に従ってこれらを除外して考えるよりも、「場面緘黙は発達障害を併存することがある」と考える方が、緘黙児を支援する時に有効と思います。

表2　DSM-Ⅳによる発達障害

- 精神発達遅滞
- 広汎性発達障害（自閉性障害・レット障害・小児期崩壊性障害・アスペルガー障害・特定不能の広汎性発達障害）
- 学習障害（読字障害・算数障害・書字表出障害）
- 運動能力障害（発達性協調運動障害）
- 注意欠陥多動性障害（混合型・不注意優勢型・多動性衝動性優勢型・特定不能の注意欠陥／多動性障害）
- コミュニケーション障害（表出性言語障害・受容―表出混合性言語障害・音韻障害・吃音症）
- チック（発達障害に含めることもあり）

註）
- 学術的な発達障害（developmental disorders）と行政政策上の発達障害（developmental disabilities）とは一致していない。DSM-Ⅳに発達障害の定義は記述されていない。
- 学習障害（learning disorders）…読み、算数、書字など特定の能力の習得と使用が困難。
- 発達性協調運動障害…運動発達に遅れがある。日常生活の中で必要な運動が著しく下手。不器用。
- コミュニケーション障害…表出性言語障害（言語表現が困難）、受容―表出混合性言語障害（言語表現だけでなく、言語理解にも困難がある）、音韻障害（構音障害、ある音が発音しにくい）、吃音症（どもることがある）

コラム9 場面緘黙と発達障害の併存率

H.クリステンセン（2000）の研究[11]の対象はDSM-Ⅳの診断基準で抽出された緘黙児ですが、アスペルガー障害やコミュニケーション障害の緘黙児は除外されていません（図4）。69％の緘黙児になんらかの発達障害が認められ、50％にコミュニケーション障害、43％に音韻障害がありました。

また、74％の緘黙児に社会不安や分離不安などの不安障害、32％に排泄障害がありました。発達障害と不安障害の併存の割合も高く、多くの緘黙児が複数の問題を抱えています。

場面緘黙は単一の障害ではなく、それぞれの子どもが異なった何らかの不具合（脆弱性）を根底にもっており、その上に起きてきた不安の症状の一つであると著者は考えています。

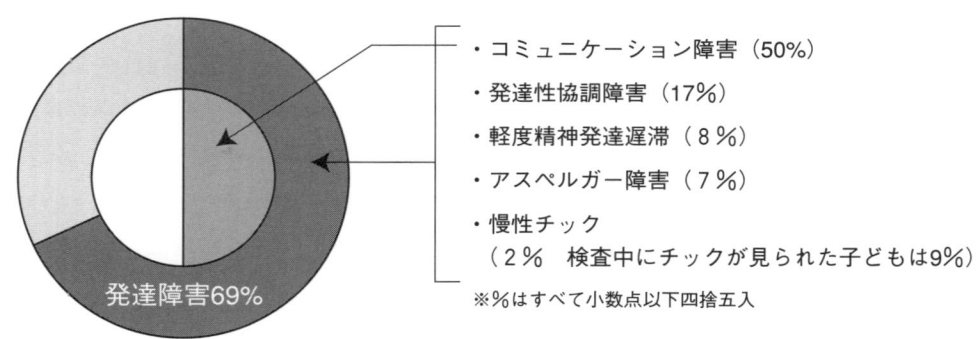

・コミュニケーション障害（50％）
・発達性協調障害（17％）
・軽度精神発達遅滞（8％）
・アスペルガー障害（7％）
・慢性チック
　（2％　検査中にチックが見られた子どもは9％）

※％はすべて小数点以下四捨五入

図4　場面緘黙の症状がある子どもの発達障害／遅れの併存率

Q13…ことばの問題は場面緘黙に関係ありますか？

● 「およそ3分の1の緘黙児に、話しことばや言語の問題がある」と言われています。

コミュニケーション障害やことばの遅れがある子どもがいます。緘黙児は「聞く」「話す」プロセスのどこかに不具合をもつ場合が多く（**コラム73**参照）、家庭では普通におしゃべりできても、学校や園など家庭よりも複雑で高度なコミュニケーションが求められるところでは、会話が難しいのです。人の話を理解し、それに対して自分の考えをことばにするのに時間がかかる子どもがいます。発話にまつわる失敗体験、発音や声について人から何か言われた経験、自分の声を変な声だと思っていることが、緘黙に影響している場合もあります。また、外国で育った経験がある子どもやバイリンガル環境におかれた子どもで場面緘黙になる子どもがいます。

コミュニケーション障害がある緘黙児は、そうでない緘黙児と比べて、情緒的に安定していて社会性が高く、親の気質特性は一般の人と違いがないという研究があります[9]。

Q14…発達障害の疑いがあると言われました。

　2005年に制定された発達障害者支援法では、発達障害を「自閉症、アスペルガー症候群その他の広汎性発達障害、学習障害*、注意欠陥多動性障害その他これに類する脳機能の障害であってその症状が通常低年齢において発現するものとして政令で定めるもの」と定義されています。

　発達障害はその症状の現れ方は多様で、幼児期では発達障害があるのか、また発達障害のどれに当たるのか診断しにくく、診断名が変化していったり、また「発達障害の診断はくだせないが、傾向がある」と医師から言われる保護者も多いようです。保護者にとって発達障害かどうかや診断名はとても重要でしょう。しかし診断名にふりまわされないように気をつけましょう。大切なことは、子どもの特徴をとらえて子どもを理解すること、そして適切な支援をすることです。関連の書籍や親の会のサイトも多数あります。子どもの理解や接し方は、発達障害のない子どもへの対応を考える時でもたいへん参考になります。ぜひご覧になることをお勧めします。

＊教育の領域で用いられる学習障害（learning disabilities：LD）には、DSM-Ⅳの学習障害、発達性協調運動障害、コミュニケーション障害が含まれる可能性がある。

●発達障害の二次的障害として、緘黙の症状が出ることがあります。

　発達障害は、早期に子どもの特徴を把握し適切な対応をとることが、子どもにとって非常に重要です。発達障害は、見た目にはわかりにくく、対応や支援も受けずに大きくなっていく場合が多いのです。発達障害の子どもの中に、環境の変化に対応しきれず場面緘黙になる子どもがいます。また、子どもたちは様々な失敗体験を積み重ねるうちに、抑うつや強迫症状などの二次的障害をもつようになりがちと言われています。人と同じようにできないことが多いために、失敗経験を続けて自己評価が下がってしまうためです。緘黙の症状も発達障害の二次的障害ととらえることができます。

コラム10 アスペルガー障害の対応が必要で「場面緘黙そのものを治そうとしてはダメ」
（高1男子の保護者）

　小6の時、児童相談所の医師から「アスペルガー障害の傾向がある。大人がその子の特徴を理解してあげるという視点がないと、中学でいろいろなストレスを受ける場面で乗り越えられないという状況が出てくる」と指導を受けました。以下、指導の内容です。

- 話したいという気持ちはあるが、何か原因があってしゃべれない。決して急がず、適切な課題、適切なストレスを与えることが大切。
- いろんな情報を取り込んで、総括して判断する力が不足している。見通しを立てたり、場の空気を読んだりすることが苦手。順序立てて具体的に指示されればできる。通常は、自然に身につけていく社会的ルールを、その都度1つ1つ教えていくことが必要。
- 「できなかった」という思いが積み重なっていくとダメージが大きいため、子どもが力を発揮できる場面設定を工夫することが大切。子どもの「認められたい」という気持ちをうまく持っていくとよい。

　小6で息子の診断名が出てからこれまで試行錯誤してやってきましたが、発達障害だからこそ、じっくりと「子どもの成長を待つ」という気持ちが親には必要だと思います。それは「何もせずに見守る」という意味ではなく、子どもが「自分はダメな子だ」と思わなくてよいように、「ゆっくり成長していい」ことを保証してあげることが大切なのだと思います。

　小学校高学年から中1、中2にかけては家で荒れることが多く、家庭内がめちゃくちゃだった時期もあります。我慢、我慢の日々でした。でも、息子が高校生になった今、「一番大変な時期を乗り切った」とはっきりと感じることができ、「あのころのことを思えば夢のようだね」と夫婦でしみじみ話しあっています。高校では、友達との会話もこなしているようです。まだまだ、家庭内ではいろいろと問題はありますが、「症状は軽減される」というのは事実です。現在問題になっていることが、そのまま永久に続くわけではありません。大事なことは、今できることを認め、得意なことを伸ばし、スモールステップでできることを増やしていくこと。そのことで本人が自己評価を高めて、「自分にはできる。だからもっとがんばりたい」と思えるようにもっていくことではないかと思います（**コラム91** 参照）。

第1章　理解

Q15…親の育て方が原因で、場面緘黙になるのでしょうか？

● 養育態度が原因で場面緘黙になるとは考えられていません。

　養育態度が場面緘黙の原因であることを実証的に明らかにした研究は発表されていません。1990年ころまでの日本の研究では、場面緘黙の発症を「過保護・支配的な母親」「無関心な父親」などの家族要因と結びつけたものが多く発表されました。

　海外でも以前は精神力動的要因つまり環境要因に比重を置いた考えが主流でしたが、近年は生物学的な気質や不安に注目点が移行しています[12]。緘黙児の親とそうでない子どもの親の養育スタイルを比較した研究では差異がありませんでした[13]。養育方針や、躾の方法、家族関係などの家族特性についても差が見られなかったという研究があります[14]。

　日本ではいまだに古い研究に基づく文献が流布しており、教師やそのほかの専門家の間でも、誤解が多いようです。このことで、たくさんの保護者がつらい思いをしてきました。このような現状は、即刻改善されなければなりません。学校や専門家が、家庭や養育態度に問題があるはずという誤解をもつことは、保護者を著しく傷つけ、緘黙児を支援するにあたって保護者・学校・専門機関の連携を阻害します。

　保護者の養育態度は子どもの不安に大きな影響を及ぼします。子どもの不安や緘黙の症状に保護者が早く気づき適切な対応をすることで、子どもの不安を下げ、緘黙の症状が出ることや、症状の固定や悪化を防ぐことができます。また、保護者が家庭環境を整え、子どもを支えていくことがなければ、場面緘黙の改善はとても難しいでしょう。学校や専門機関は、保護者が力を発揮できるようサポートすることが望まれます。

コラム11　学校が誤った理解の資料を配付（中3女子の保護者）

　中学でスクールカウンセラーに子どものことを相談しましたが、大変心外なことに「子どもの不安は家庭で安心して過ごせないから」と判断されたようでした。その後校長室に呼ばれ「家庭では、安心できる環境を作ることができましたか」とたずねられました。また、子どもが相談室で家庭のぐちを言ったことを書き留めてあり、「○月○日、お子さんを置いて外出されましたね、○月○日お子さんを叱責なさいましたね」等々、きちんと表にしてあります。それが家庭が不安であることの証拠だということのようでした。私がカウンセラーの先生に話した、幼少期からの場面緘黙についてのことは、校長先生はまったく聞かされていなかったようです。その後、場面緘黙についての理解を求めたところ、緘黙症に関する資料を先生たちに配って下さったと聞いたので、見せていただきました。すると、緘黙症の原因として、溺愛や父親不在など家族的なことが原因であるかのように書かれたものでした。大変疑問に思い、抗議しました。けれども、これは大変権威ある著名な先生が書かれたものだから間違いないとのことで、聞いていただけず、大変つらい気持ちでした。

Q16…小さいころに近所の子どもと遊ばせなかったことが原因なのでしょうか？

　小さい時コミュニケーションの経験が少なかった子どもが、場面緘黙になるとは考えられていません。ただ、抑制的な気質をもっていたり、何らかの神経生物学的要因をもっている子どもにとって、入園や小学校入学で社会的環境に入り、そこに慣れることはとても大変なことなのです。そのため、小さなグループ体験を早めにさせたり、入園入学予定の同じ友達を作っておいたり、学校や園の場所に慣れておいたりすることが望まれます。ほかの子どもとまだ上手にやり取りができなくても、そばで遊んで子どもが楽しい気持ちになることから始めましょう。お母さんが、ほかの子や母親とかかわって、さりげなくモデルを示してあげるとよいでしょう。まねっこしたり、いっしょに何か作ったり、ものを交換するなど、少しずつ他児との交流を促していきます。保護者が緘黙の経験者であったり抑制的な気質をもっているような場合は、3才児健診時などのスクリーニングで早期に保護者をサポートするような社会的な支援がほしいと思います。

Q17…トラウマが原因で場面緘黙になりますか？

●「場面緘黙の原因が虐待や育児放棄（ネグレクト）やトラウマ（心的外傷）である証拠は全くない」ということが、多くの研究から明らかにされています。

　米国のSMart（スマート）センターは、保護者が受けてきた大きな誤解を取り除くことの必要性を訴えています。また、ショックな体験の直後から始まる心的外傷性緘黙（traumatic mutism）は全緘黙で、場面緘黙とは別の状態であるとされています。

　海外の古い文献では、緘黙の原因はトラウマと考えられてきました。小説などでも人を引きつける題材であるために、トラウマで口が利けなくなったというような文脈で扱われることが多かったようです。

　近年、調査した緘黙児（50人）の中にトラウマの経験をもつ者が全くいなかったという研究[6]や、緘黙児（100人）が他児と比べてトラウマ（身体的虐待・ショックな出来事）や家庭内の危機、家族の人の病気や死など大きなストレスがかかるような出来事を多く経験しているとはいえないという結果を示す研究があります[15]。ただし、これらの研究は虐待やネグレクトを受けていた緘黙児がどれくらいいるのかを調査したものではありません。また、トラウマとの関連は、子どもの主観的体験にもとづいて考えることが必要ではないかと思います。緘黙児の中には、トラウマ体験が発症に影響したと考えられる場合もあります。

●緘黙児の中には、虐待環境に置かれている子どももまれにいることを、留意しておく必要があります。
●恐怖体験、つらかった体験、失敗体験が、子どもの不安にどのような影響を与えたか検討することが必要です。

コラム12　恐怖体験が発症の引き金に

　岩手大学教授の山本実氏の自費出版『緘黙症・いじめ―正子の場合』(1986)[16]の正子さんは、教員だった両親が共働きで、彼女に対してとても冷たいお手伝いさんに育てられました。弟は愛情をかけられてのびのびしていましたが、彼女は家でいつもびくびくとおびえていました。彼女は保育園で「針で刺すぞ」「声を出すな！　声を出したら針で刺すぞ！」と　男の子に追っかけられ、すさまじい恐怖体験をします。それが引き金となり、その男の子がいる所では声が出なくなります。母親は家庭科の先生だったので、針をきちんと片づけることをしつけるために、「針は体のなかを心臓に向かって進んでいって死ぬ」と針の恐ろしさを彼女に教育していたことも伏線となりました。彼女は場面緘黙といじめで長い間苦しみますが、小学校6年時には両親の決断で転校し、声が出るようになります。そして20才の時にはＮＨＫ「青年の主張」に出て緘黙だった自分について語るまでになります。

　正子さんの場合は、幼少時の養育環境が彼女に負荷を与え、保育園での針の体験が発症の引き金となり、教師の不適切な対応やいじめによって症状が固定されたのではないか、つまり環境要因の比重が大きいケースではないかと推測されます。

コラム13　「トラウマ」と「日常的トラウマ」

　場面緘黙の原因を単純にトラウマに結びつける態度は戒めなくてはなりません。しかし、神経生物学的な問題をもつ子どもは、しばしばその子の機能レベルを越えるようなことを周りから要求され、それに応じることができません。神経発達に未成熟な分野がある子どもは、日常的に失敗体験や脅かされるような体験をしやすいのです。H.クリステンセンは、このような体験を"everyday trauma（日常的トラウマ）"と呼んでいます[9]。

　抑制的な気質の子どもも、繊細で感じやすく、傷つきやすさをもっています。このような継続的、断続的な失敗体験が不安にどう影響しているかを考えることが大切です。

コラム14　虐待と場面緘黙

　場面緘黙と虐待の関連を示す論文に、T.ヘイデン(1980)の研究[17]があります。調査対象の多くに家族の病理が認められ、77％に虐待（警察の調査介入）が認められたとあります。また、ヘイデンの経験したケースの64％に虐待があったと書かれています。しかし、この論文をよく読むと、警察の説明では、ほとんどのケースで子どもがしゃべらないために虐待が生じていたとあります。1970年代の米国の話です。虐待やネグレクト環境は子どもの精神発達に大きな、そして複雑な影響を及ぼしますし、日本でも虐待を受けていた緘黙児はいます。しかし、場面緘黙の原因を虐待と単純に結びつける考えは、全くの誤りです。

3 早期発見・早期対応の重要性

Q18…大きくなれば自然に治りますか？

●**場面緘黙は、早期発見・早期対応を行なうことが大切です。**

　「自然に治る」という考えはとても危険です。確かに、不安が軽い場合や、子どもの成長に伴って、また、症状を固定させない環境がうまくそろって、自然に話せるようになる子どももいます。しかし、緘黙の期間が長引くと、二次的な問題や、大人になって話せるようになった後も深刻な影響が残る場合が少なくないのです。

　米国のSMart（スマート）センターでは多くの緘黙児の治療と支援を行なっていますが、代表のE.シポンブラム博士によると、8才か9才になっても学校で話をしていない子どもは、高校くらいまで、学校で話しだすことは少ないそうです。

　小学校中学年以上の緘黙児は、それまでの経験や環境からのストレスの影響によって、さらに複雑な特性ができあがってしまいます。支援や治療を受けなかった場合、子どもは学校で常に当たり前のことができない自分を突きつけられ、話すことができない自分をおかしいと感じ、孤立感を感じます。まわりからしゃべらない人と見なされるために、「しゃべらない自分」という自己イメージが強化されます。不安への不適切な対処法や不安を感じる場面を避けるための行動パターンを身につけ、緘黙が癖や習慣のようになってしまうのです。また、場面緘黙のまま成長した子どもたちは、友達や大人とかかわる経験が少ないために、社会的な能力をのばす機会が少なくなります。子どもは落ち込みやすく、学力面での不利益も大きくなります。思春期に入ると、いっそううつ症状が出やすくなり、不登校、学業不振が懸念されます。

●**海外では様々な治療や取り組みが行なわれており、幼い時期に適切な治療や対応を受ければ、緘黙の状態が大きく改善されることが明らかになってきました。**

◆予後について

　統計はありませんが、ほとんどの緘黙児は、高校または高校卒業後には発話が可能になるようです。教師、保育士、スイミング教室のインストラクター、カウンセラーや医療ソーシャルワーカー、翻訳家、会社員などの職業についた緘黙経験者がいるようです。

　しかし、残念ながら、成人後も、社会不安障害やほかの不安障害、低い自己評価、うつ病、ひきこもりに悩む場合や、人付き合いが苦手なケースも少なくありません。

SMart センターでは次のように考えられています。

- 場面緘黙を治療せずに放置しておけば、生涯を通じて不都合を生じさせる場合がある。
- 様々な学業的、社会的、情緒的な影響がある。
- 早い時期に場面緘黙の治療を受けるほど、治療への反応が早く全体的な予後がよい。

● 「発話だけに注目しないこと」が大切です。

　保護者には、長い期間にわたって、子どもと共に取り組んでいくねばり強さが求められます。話すか話さないか症状にばかり注目しないようにします。たとえ緘黙の症状が続いていても、どれだけ不安への対処力が身に付いてきているか、自信が育ってきているか、達成感を感じる経験をしてきたか、人とつながりを感じる体験をしてきたかが大切です。つらい時期を、どう乗り切ってきたかで、声が出るようになった後の人生が違ってくるのではないかと思われます。

コラム15　緘黙を引きずると「後遺症」がついて回る（50代男性の緘黙経験者）

　私は52才になって初めて自身が場面緘黙症であったことを知りました。幼稚園から高校まで、一時期を除いて緘黙状態が続きました。最悪だったのは高校時代で、授業中教師に指名されて小さな声で答えたり朗読する以外、友人もおらず誰とも話さず過ごしました。そのうえ強迫性障害にもかかり、一時は家族皆殺し？　学校放火？　自殺妄想に取りつかれたこともあります。しかし大学受験を機に、地方の大学を受験することで、家からの自立を企て、緘黙症と強迫性障害を克服、思春期危機を乗り切りました。

　でも、場面緘黙症の場合、たとえ大人になって話せるようになったとしても、「後遺症」をひきずるケースが多いことに注目する必要があります。人の輪にとけ込めず人間関係に支障を来す人、対人恐怖、うつ、神経症など様々な不安障害を抱える人も少なくありません。それらは、幼少期に緘黙を発見し適切に対処せず、思春期まで引きずってしまった後遺症と思われます。私の場合も、緘黙自体は軽症でしたが、高校時代まで引きずったため、人生の3分の2は何らかの心の病に苦しめられてきました。

　私は今、自分の問題として緘黙と向き合い、本を書いています。これまで社会に埋もれてきた物言わぬ緘黙者の声をしっかり社会に送り届け、緘黙の社会的認知と緘黙児の支援を広げるための動きの一助になれればと思っています。

第1章　理解

コラム16 場面緘黙症の後遺症（40代男性の緘黙経験者）

　現在「適応障害による抑うつ状態」で勤めを休んでいる。場面緘黙症の後遺症については研究がすすんでおらず、日本には文献も存在しない。場面緘黙症の症状が緩和された後では全く違った診断となり「後遺症」とは認識されていないのではないだろうか。現在の私の生きづらさは以下のような症状があるためである。

・自分の言いたいことがなかなか上手にことばにできない。
・ストレスがかかると緘黙症状が再び表れることがある。
・時に緘動も起こる。――ここまでは場面緘黙症の状態と同じ。
・社会恐怖の診断をみたすような症状。
　（人前で異常に緊張する。書字、食事の時に手指が震える。声がうわずるなど。）
・社会への不適応感、そしてそこから生まれる抑うつ症状、自己評価の低さ、慢性的な自己嫌悪感。

　これらは、場面緘黙症の後遺症なのだろう。DSMの診断基準によれば、場面緘黙症には不安障害、とくに社会恐怖が合併することがあると記載されている。

Q19…なぜ場面緘黙を理解している人がほとんどいないのでしょうか？

　場面緘黙は、子ども自身が訴えないだけではなく、学校も保護者も子どもの状態を改善させようと動くことが、少なくなりやすいのです。

　場面緘黙について知らない学校や園の教師も多く、本人が困っていたとしても、見落とされがちです。緘黙児は、学校や園でたいへんおとなしいため、教師はあまり困らないのです。また、子どもの状態が場面緘黙だと教師が気づいても、これまで対応や支援の方法がわからなかったために、保護者に告げることを躊躇してしまうことも多かったようです。

　保護者は、学校や園で子どもが話していないことを長い間知らない場合も多いです。また、子どもの状態を知らされても、家庭でのおしゃべりな子どもの状態しか見ておらず、にわかに信じられなかったり、家で元気だからそのうち話すだろうと問題を軽視してしまう場合もあります。保護者自身が行動を抑制しがちな気質をもっていることも多く、学校に迷惑をかけたくないという思いから、学校に協力を求めることを控えてしまう場合もしばしば見られます。

　そして、場面緘黙の症状はたいていは大人になればなくなります。緘黙経験者はおとなしい方が多く、これまでは場面緘黙について問題にする人がいなかったのです。インターネットの普及によってようやく経験者の声を聞くことができるようになりました。「かんもく」「緘黙」で検索すれば、たくさんの関連サイトを見ることができます。

◆古い研究に基づいた、誤解を招く情報も多い

　日本でも、1980年代までは場面緘黙の統計的研究がされていたようですが、近年の発表は少なく、また、治療法に関してはごく限られた子どもたちを対象にした研究しか行なわれていません。心理学の教科書に記述されていないことも多く、教職課程の講義でもほとんど取り上げられていないのが現状です。そして取り上げられていたとしても、限られた情報であったり、古い研究に基づく誤解を招く情報も多いようです。そのため、保護者は、教師から、また専門機関からでさえ、親の過保護や愛情不足が原因と思われたり、「内気なだけ」「大きくなれば治る」「しばらく様子を見て」と言われたりすることが多かったのです。

コラム17　「選択性」ということばから誤解が （小5女子の保護者）

　教育センターの臨床心理士から「娘さんの場合、選択性緘黙ですからね！」と力入れて言われてました。「特定の場面で話さないことを選んでいる」とはっきり言われてました。自分の意思で選んで緘黙してると思ってらっしゃるようなんです。素人であるうちの主人なんて「勝手病」だなんて言ってますから。なかなか場面緘黙を理解してもらうのは難しそうです。

コラム18　診察室で話せるから場面緘黙症ではないと言われました （中3女子の保護者）

　先日、子どもや思春期の子のための「こころのクリニック」に行ってきました。すると先に臨床心理士（？）の方が子どもと話し、それから私が入りました。小さいころからの経過をお話して、今は教室に入れないことなどを相談しました。そして子どもは場面緘黙ではありませんかとたずねたところ、「自分と話せたのだからそうではない」とのお返事でした。以前、教育センターを訪ねた時も同じ返事が返ってきました。そして「この子は自分が言わなくても、人が自分のことをわかると思っているので、それを、ことばで伝えることが必要だと少しずつ教えるように」と言われました。

コラム19　場面緘黙症のことを知って欲しい （40代男性の緘黙経験者）

　場面緘黙症だったらしいとわかったのは2006年11月、40才を過ぎてからだった。たまたまのぞいたサイトに、自分の症状が細かく書いてあった。これが俺の正体だったのだ、大きくひざを叩いた。私は自分の幼少期から少年期までのあの人間関係の稚拙さはなんだったのだろうとずっと疑問に思っていた。

　私は対人緊張が異常に高い。社会生活の中で絶えず不全感を感じており、こんなことでは、自分は大人になっても就職や結婚はできないのではないかと本気で思っていた。対人緊張が高い私だが、今はくしくも対人援助職に就いている。他人の話を引き出すこと、相手に話をさせることでコミュニケーションをとるという方法は得意になった。ロジャーズの技法や精神分析的カウンセリングをはじめ、様々な対人援助技法と巡り合うたびに生きるのが楽になっていった。そして今、場面緘黙症であったとわかってから、少しずつ自分のやり残してきたことを取り戻そうとしている。そしてまた、多くの当事者、家族、学校の教員などに場面緘黙症のことを広めていきたい、と考えている。

第1章　理解

◆場面緘黙の「よくある誤解」

「学校でおとなしいだけで、ほっておいても、
そのうちしゃべるようになりますよ。家では元気なんでしょう？」
「大丈夫です。お母さんの心配しすぎでは？」
「話さないだけで、学校（園）では全く問題ないです」
「家庭の愛情不足なのでは？」「家庭で甘やかしすぎ、過保護なのでは？」
「躾がなってない」「わがままなだけ」
「わざと黙っている」「緘黙児は内気なはずですが……」
「表情豊かだから、場面緘黙ではないのでは？」
「困ってるのはお母さんで、子どもは困ってないのでは？」
「不安を感じているようには見えないですけれど……」
「緘黙児は不登校にならない」

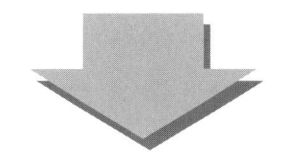

⬇

- 早期発見・早期対応が大切です。
- 場面緘黙に関する知識がない先生の場合、保護者の訴えに対して、心配しすぎていると感じて保護者を安心させようとしたり、過保護と感じる傾向があるようです。
- 場面緘黙は、本人が困っていても、学校や園の先生は困ることが少ないのです。そのため、見落とされ放置されがちです。
- 日本の古い研究では、発症の原因として「養育態度」があげられていました。そのため、いまだに誤解が広がっています。
- 場面緘黙の原因を虐待と単純に結びつける考えは、全くの誤りです。
- 返事をしないのは人を無視していると誤解されることがあります。
- わがままと誤解されがちです。緘黙児の行動は、「人」「場所」「活動」などの状況によって変化します。
- 指導に従わないことで、先生が子どもを頑固で反抗的と感じる場合があります。不安やこだわりから、指示に従えない場合がほとんどです。
- 緘黙児が内気とは限りません。子どもの性格は様々です。
- 子どもは、緘黙の症状によって自分を不安から守っています。不安そうに見えない子どもも多いのです。
- 不安のために学校に行けなくなる子どもがいます。

Q20…緘黙児は「特別支援教育」の対象なのでしょうか？

　近年、障害の種類や程度に応じて制度を整えてきた「特殊教育」から、障害のある児童生徒一人ひとりのニーズに応じて対応するという「特別支援教育」に変わってきています。「特別支援教育」では、これまで「特殊教育」の対象だった障害だけでなく、LD（学習障害）・ADHD（注意欠陥多動性障害）・高機能自閉症・アスペルガー症候群などの広汎性発達障害などの子どもも対象になります。そして、特別な教育的支援を受ける対象範囲の中に「情緒障害」が入っています。

●平成19年現在、「情緒障害」教育の対象は「心因性の選択性かん黙などのあるもの」となっています。

　文部科学省は「情緒障害教育」の対象として「自閉症」と「主として選択性かん黙などがあるもの」をあげていましたが、平成18年4月に「通級」について学校教育法施行規則が改正され、LD、ADHDが通級対象に加わるとともに、「自閉症」が正式な通級対象となりました。「自閉症」はそれまで「情緒障害教育」対象でしたが、「発達障害」とされて、「情緒障害」から分離して記載されることになったのです[18)][19)]。

　今後改善されるべき課題がいくつかあるように思われます。緘黙児の中には発達障害やその傾向がある子どもが少なくないことがわかってきており、実際には「情緒障害」児と「発達障害」児を明確に区別することは難しいように思われます。また、現行の制度や法律では「選択性緘黙（場面緘黙）」は、通知などで教員の目に触れることが少なく、認知されることが少ないよう思います。

◆療育手帳について

　「療育手帳」は都道府県の独自の発行で、児童相談所が知的障害の程度により判定を行ないます。判定基準は統一されておらず、自治体によって、知的能力（ビネー式知能検査でIQ75以下など）に加え、日常生活面・行動面・保健面の介護度、重複障害の程度などをもとにした総合的な判断により判定されます。近年はIQ75を超える発達障害児（高機能自閉症・アスペルガー障害など）にも手帳がおりることが増えてきましたが、緘黙児は、検査時にことばを話せないため正確なIQを測れない、診察で話せないために診断が難しいことが多いです。また、療育手帳は、知的障害や一部の発達障害に対して交付され、場面緘黙の症状に対して交付されるわけではないので、制度上ほとんどの緘黙児は取得することができないのが現状です。

Q21…海外では場面緘黙の一般の認知や専門家による研究が進んでいるのですか？

　海外でも、場面緘黙が一般の人によく知られているとは言えませんが、支援団体や専門治療機関がいくつかあり、日本よりも研究が進んでいます。かんもくネット（Ｋnet）では、2006年夏より下記の団体から許可を得て配付資料を翻訳し、Ｋnet資料としてウェブ上で公開してきました（巻末参照）。

> 米国のSMG~CAN（Selective Mutism Group ~Childhood Anxiety Network）
> 　　　場面緘黙グループ小児期不安ネットワーク
> 米国のSMart（スマート）センター（Selective Mutism Anxiety Research and Treatment Center）
> 　　　場面緘黙・不安研究治療センター
> 英国のSMIRA（スマイラ）（The Selective Mutism Information and Research Association）
> 　　　場面緘黙情報研究協会

　米国のSMartセンター代表の、E.シポンブラム博士は、オステオパシーの医師（DO）ですが、娘のソフィアちゃんが場面緘黙でした。彼女は娘を連れてあちこちの専門家を訪ね歩きますが、誤った診断をうけたり、有効な治療法が得られなかったのです。母親として場面緘黙の情報収集をしているうちに、場面緘黙の研究と治療に取り組むことになりました。TimeやABC newsなど米国の大手メディアが場面緘黙を取り上げる時は、博士が頻繁にメディアに登場します。現在、治療と講演や執筆活動に多忙をきわめておられます。ウェブ上でも有用な情報を掲載、専門家によるウェブ上講義や専門家を招いてのチャット企画など、ネット活用にもとても積極的です。

コラム20　海外メディアで取り上げられた場面緘黙症（場面緘黙症Journal [20]より）

　海外のメジャーテレビ局では、米国のABCニュースで７才のモーガンちゃん（2006年３月27日）、CBSニュースで小４のエミリーちゃん（2006年11月16日）が大きく取り上げられています。英国ではchannel 4やBBC 3で取り上げられました。また、The New York Times（2005年４月12日）やTIME（2006年１月29日）などの新聞や雑誌でも掲載されています。

　2007年４月、米バージニア工科大学で起きた韓国人学生、チョ・スンヒ容疑者（当時23才）が32人を射殺し、自殺した銃乱射事件で、同年８月末バージニア州の調査報告書で彼が「場面緘黙症」であったことが公表されました。その直後、世界で場面緘黙症のことが一斉に報じられました。

　ただし、場面緘黙症そのものは、今回の事件のような破壊的行動と結びつくことは極めて稀（まれ）です。場面緘黙症は犯罪につながるという誤解が広まらないよう願っています。

コラム21 英国のサポート団体SMIRA（スマイラ）（英国在住・6才男子の保護者）

　英国では場面緘黙症の民間サポートグループSMIRAが1992年に設立され、保護者と専門家をつなぐパイプ役を果たしています。メンバーには基本的な情報と定期的なニュースレターを配布するほか、年に1度専門家を招いて保護者会を開催。非会員でも参加できるウェブ上掲示板Smiratalkを設け、メンバーや専門家が活発に意見を交換しています。2004年には政府から助成金を得てレスター大学と共同で場面緘黙の理解のためのDVDと本[21]を出版しました。

　2006年春にメジャーTV局「チャンネル4」が、場面緘黙児のドキュメンタリー番組を放映したのをきっかけに、ここ1年ほどで場面緘黙が少しずつメディアに取り上げられるようになりました。英国には緘黙治療の第一人者と呼ばれる、言語聴覚士のマギー・ジョンソンさんを筆頭に、60年代から緘黙の研究に取り組んできたSMIRA会長のアリス・スルーキンさん、ローズマリー・セージ教授など、複数の専門家が研究を進めています。マギー・ジョンソンさんとアリソン・ウィンジェンズさんの共著による『The Selective Mutism Resource Manual』[22]は、「緘黙症治療のバイブル」と評される実用書で、このマニュアルに沿って治療を進めるのが、最も効果的とされています。

　この治療プログラムは、キーワーカーと呼ばれる伴走者が必要です。通常TAと呼ばれる補助指導員がキーワーカーになることが多いのですが、母親がなる場合もあります。まず、子どもが学校の1室で母親と遊びながら普通に会話できるように慣らし、次にキーワーカーとなる先生を加え、さらにクラスメートを数名ずつ加えていく、というような綿密なプログラムを組んで、最終的には教室での発話へと進展させます。

　英国では、緘黙児が黙ったままでも、関係者は必ず近いうちに話し出すという確信をもっています。早期発見が多いため、適切なアプローチをすれば発話につながるのが当然という空気があり、それだけ治療実績もあります。掲示板Smiratalkでも「話さないからどうしたらいいの？」ではなく、「キーワーカーには話し始めたけど、担任へのアプローチは？」というような、ステップとして次の段階のものが多いようです。

　このように日本に比べて緘黙についての研究が進んでいる英国ですが、それでも緘黙やその治療に関する専門知識は、医療機関や学校関係の機関には、まだまだ浸透しているとはいえません。また、キーワーカーを用いた治療プログラムは、学校での頻繁な個別支援が必要なため、これを実践できる学校は限られています。英国では特別支援教育制度が定着しているので、それぞれの学校が人材・予算などを考慮しながら、できる範囲内で対策を立てている、というのが現状でしょうか。

第1章　理解

コラム22　米国のサポート団体SMG~CANと娘の受けた治療（米国在住・12才女子の保護者）

　米国では場面緘黙のためのサポートグループがいくつかあります。SMG~CAN、SMart Center、SM Foundationなどが主なグループです。

　SMG~CANでは、場面緘黙児をもつ親または学校の先生が情報や意見を交換することができます。会員になると専門家や医師にメールでの質問、指導を受けることができたり、自分の住む近くの専門家や医師を紹介してくれます。また毎年夏には、専門家を招いてSMG~CANサマーファミリー会が（全米で1カ所・毎年異なる州にて）行なわれ、たくさんの専門家、場面緘黙児をもつ家族、学校の先生方が参加し、活発に情報交換がなされます。この3日間は、子どもたちのために、場面緘黙についてトレーニングを受けた人たちがリラックスできる環境をつくり、アートやクラフトなど一日中飽きることのないアクティビティ（キッズキャンプ）が用意されます（もちろん、キッズキャンプに参加せず、ずっと親といっしょにいる子どもたちもいます）。

　1991年ごろから場面緘黙に関する記事がたびたび雑誌、新聞に掲載されましたが、1999年にABC放送の人気ドキュメンタリー番組20/20で場面緘黙の女の子が紹介されると、とても大きな反響がありました。また2006年には雑誌TIMEでも紹介されるなどしています。

　米国では専門家による遊戯療法が主で、同時に薬物治療を行なうこともよくあります。また専門家による治療だけでなく、学校の協力も不可欠とされています。専門家が直接学校まで出向き、先生方を指導することもたびたびあります。治療は行動療法、認知行動療法（CBT）、遊戯療法、精神分析療法などがありますが、年令やその子どもの症状によってアプローチの仕方が変わってくるようです。どの方法でもその子の「不安のレベルを下げる」ということに重点が置かれるようです。

　娘はクリニックで、低学年の時は、行動療法的アプローチを行ないながら、遊戯療法（週1回・10ヵ月）を受けた後、薬物療法（**コラム75**参照）で、学校で声が出るようになり、高学年になってからはCBT（20回）を受けました。CBTでは緊張する、不安レベルが高いとどうして声がでなくなるのか、どうしたら不安レベルが下がるか（否定的考えを肯定的考えに変える）、呼吸法、リラクゼーションなど習います。またセラピストと計画を立てて、お友達に自分から話しかける、1日1回学校で手を上げる、など困難なことをステップバイステップで克服するようにします。それらができると次回セラピストに会った時、シールなどのごほうびがもらえます。このシールが集まっていくのを娘は喜んでいました。現在、娘は不安のためのグループセラピー（1人対3人）に週1回通ってます。いずれにせよ早期に適切な治療を受けることが最も大切とされています。

コラム23　緘黙をめぐる主な出来事

年	出　来　事
1877（明治10）	A.クスマウルが "aphasia voluntaria"（随意性失語症）を取り上げる。緘黙を取り上げた世界初の学術文献と言われる。
1934（昭和9）	M.トラマー が "elective mutism" ということばを使う。
1935（昭和10）	L.カナーが 緘黙を"psychogenic mutism"（心因性緘黙）など６つに類型化。
1940（昭和15）	G.ロビン　吉倉範光訳『異常児』。緘黙を紹介した邦訳書（学術文献）としては、最古級？
1951（昭和26）	高木四郎「口をきかない子ども」（『児童心理と精神衛生』収録）。日本初の緘黙研究？
1973（昭和48）	S.ヘッセルマンが "selective mutism" という呼称を提案。
1980（昭和55）	DSM-Ⅲ が出版。緘黙を elective mutism として掲載。T.ヘイデンが緘黙を４つに分類。
1983（昭和58）	T.ヘイデンのノンフィクション Murphys Boy 発売。後に、世界各国で翻訳される。日本語版は『檻のなかの子』。
1986（昭和61）	山本実『緘黙症・いじめ―正子の場合』。
1991（平成3）	米国において、緘黙の非営利団体 Selective Mutism Foundation（SMF）が設立される。支援団体のパイオニア。
1992（平成4）	英国において、緘黙の非営利団体 Selective Mutism Information and Research Association（SMIRA）が設立される。
1994（平成6）	DSM-Ⅳ が出る。"elective mutism" に変わり、"selective mutism" という呼称を採用。
1994（平成6）	河井芳文・河井英子『場面緘黙児の心理と指導―担任と父母の協力のために―』。
1999（平成11）	米国において、Selective Mutism Group˜ Childhood Anxiety Network（SMG˜CAN）が設立される。
2007（平成19）	A.マックホーム他　河井英子・吉原桂子訳『場面緘黙児への支援』。

「場面緘黙症Journal」[20]より編集

第2章　対応

次のように進めることができれば理想的です。

```
┌─────────────────────────────┐
│ 1   子どもの状態を理解する    │
└─────────────────────────────┘
              ↓
```

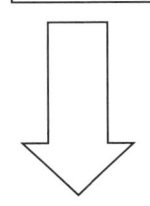

- 保護者と学校が協力しましょう。
- 子どもの不安と発話の状態を把握しましょう。
- スクールカウンセラーや医療機関・相談機関を活用しましょう。

```
┌─────────────────────────────┐
│ 2   適切な環境を整える        │
└─────────────────────────────┘
              ↓
```

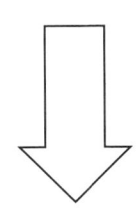

- 家庭と学校で、不安の少ない環境を整えましょう。
- 保護者の心の安定がとても大切です。サポートしてくれる人を探しましょう。
- 先生と子どものコミュニケーションを大切にしましょう。クラスの理解を促進させ、不登校やいじめに注意しましょう

```
┌─────────────────────────────────────┐
│ 3   その子に有効なアプローチを検討する │
└─────────────────────────────────────┘
```

- 子どもにあった治療法や取り組みを検討しましょう。
- スモールステップにより、子どもの不安を軽減し、自信や達成感を育て、人とのコミュニケーション体験を広げていきましょう。

1　子どもの状態を理解する

Q22…先生が子どもの緘黙に気がついた時、どのように保護者に伝えればよいでしょうか？

　緘黙児は家庭や学校外で普通に話していることが多い上に、自分から「学校で話せない」と保護者に言えないため、発見が遅れることがとても多いのです。

●場面緘黙ではないかということだけではなく、様々な対応や取り組みを行なうことで症状の改善が見込まれることを強調して伝えてあげましょう。

　場面緘黙の知識がある先生は、下記のことを保護者に伝えましょう。保護者と学校がどのように協力していけばよいか、話し合いの場を設けることを提案しましょう。

①子どもが場面緘黙ではないかと思われること、症状の簡単な説明。
②早期であれば効果的な対応や治療ができること、そうでなくても正しい対応をすることが症状の改善につながること（本書やKnet資料を渡してください）。
③保護者と学校、心理士や医師が協力すると効果があがること。
④不安を軽減するために家庭でできること。
⑤スクールカウンセリング、病院や児童相談所などの専門機関の紹介。

コラム24　先生には、早期発見と保護者への報告をお願いしたいです！（6才男子の保護者）

　息子は、3才で幼稚園に入った時、二人の友達とは普通にしゃべるけれど、先生に対しては固まってしまい、一言、二言しか返事ができないという状態でした。この事実を園が知らせてくれたのは、卒園の1ヵ月前。入園してから1年4ヵ月も経ってからでした。「恥ずかしがりやだけど、友達とは話しているから大丈夫。小学校にあがったら話し始めることを期待しましょう」と園から言われました。お迎えに行くとすぐ話し出すので、先生やほかの子どもに対して固まっているという事実を、私は全く知りませんでした。この事実をもっと早く知らされていたら、緘黙症であるということを知っていたら、事前に小学校に相談してそれなりの配慮をしてもらうことができたのに、と本当に悔やまれます。新しい環境に慣れ始めたところで、トラウマになるような事件が起き、緘黙・緘動で全く話せない・動けない状態になってしまったのです。「親には話してるから、友達とは話しているから、大丈夫だろう。大きくなったら、自然に治る」と放っておくのは、ご法度です。

Q23…子どもの状態を把握するためには、どうすればよいのでしょうか？

●**子どもの不安と発話の状態をよく観察し、記録しましょう。**

　緘黙児の不安は様々な場面によって複雑に変わります（Q6参照）。それぞれが自分の法則をもっているようです。それがどんな法則なのか調べて記録してみましょう。

> 「人」…………誰と話せるか？
> 「場所」………場所や周りの状況は？
> 「活動」………何をしている時か？

　次のように表にして、家庭内、学校、塾、スーパーなどの場所や、近所の人と会った時、電話などの様々な場面を考えてみましょう（表4）。家庭内でも、家族のメンバーによっては口数が少ないということもあります。連絡帳を使うなど、担任の先生に協力をお願いして、学校での様子も調べましょう。トイレに行けるか、給食は食べられるか、動作がぎこちなくないか、笑顔が出ているか、友達と遊べているかなど、全体像を把握します。

表4　子どもの状態チェック表

人	場　所	活　動	子どもの様子
母親と	道・子どもが大勢	登校中、母が話しかける	黙って下を向いている
友達A君と	車の中	下校	笑顔・普通の声で話す
友達A君と	家の近所・暗い	日曜日の夕方花火	大きな声が出る
店員（そばに母）	ケーキ屋	商品を選んで買う	小さな声で話す
先生＋クラス	教室内は静か	授業中教師の問い	全く声が出ない
B先生	資料室	笛を吹く	時間がかかるが吹けた

◆**安心度チェック表と発話状態チェック表を利用してもよいでしょう**

　「安心度チェック表」と「発話状態チェック表」は、保護者や教師が子どもの環境を整えるために、子どもの状態を把握することを目的に作られました。

　緘黙児は、それぞれとても異なります。子どもにあわせてさらに項目を細かくすると、より使いやすくなるでしょう。子どもによっては、このような尺度で自分の状態をチェックされることに抵抗を感じる子どもがいます。特に「発話状態チェック表」は子どもに話すことを意識させるために、プレッシャーとなる場合があります。そのため、子どもに表を直接見せることには、注意が必要です。

安心度チェック表

Knet資料No.13(1)

名前：　　　　　　　　　　記入日：

状況	とても不安	不安	普通	安心	とても安心	状況の詳細
学校（園）で						
朝、家を出るまで						
登校（登園）時						
（授業中）全員での発声（本読み・歌）						
みんなの前で言葉を使わない活動						
みんなの前で言葉を使う活動						
小グループでの活動						
（休み時間）教室で						
（休み時間）運動場で						
帰りの用意						
下校時						
体育（室外でのお遊戯）・着替え						
図工・理科の実験・調理実習（お絵かき・工作）						
楽器の演奏						
昼食（給食）を食べる						
（給食）当番や係の仕事						
（図書室で）本を選ぶ、借りる						
提出物を出す						
トイレに行く						
行事（遠足・音楽会・運動会など）						
放課後（休日）						
運動場や校内（園内）で友達と遊ぶ						
学校（園）以外の場所で友達と遊ぶ						
家で友達と遊ぶ						
友達の家で遊ぶ						
その他						
メールやノート・手紙交換（先生・友達）						
家の様子の録画ビデオ（テープ）を先生に（本読み・歌・楽器演奏等）						
習い事やスポーツ活動						
買い物で物を選ぶ・レジに物を置く・お金を払う						
家族で外食						
家族で外出(買い物・映画館・スポーツ・自然の中等)						
家で家族と過ごす・話す						
睡眠						

★当てはまるところに○をつける
かんもくネット（Knet）　http://kanmoku.org/　（2007年3月公開）

第2章　対応

発話状態チェック表

Knet資料No.13(2)

名前：　　　　　　　　　　　　記入日：

状況	動きにくい	話せない	動作で示す	ささやき声	少し話せる	普通に話す	状況の詳細
学校(園)環境							
クラス全員の前で発声（注目が集まる時）（周りが騒がしい時）							
自分の席で発声（注目が集まる時）（周りが騒がしい時）							
先生のそばで発声（注目が集まる時）（周りが騒がしい時）							
クラス全員で歌や本読み（顔が見られる位置）（顔が見られない位置）							
小グループで発声（グループ活動・本読みや歌）							
(授業中)そばの友達と話す（注目が集まる時）（周りが騒がしい時）							
休み時間（教室・ろうか・運動場）							
(給食)当番							
図書室で本を選ぶ、借りる							
少人数がいる（教室・ろうか・別室・運動場）で							
(教室・ろうか・別室・運動場)で先生と(＋親しい友達)（遊び・本読み・会話）							
(教室・ろうか・別室・運動場)で親と(＋先生・＋親しい友達)（遊び・本読み・会話）							
誰もいない（教室・ろうか・別室・運動場）で							
(教室・ろうか・別室)で、先生と(＋親しい友達)（遊び・本読み・会話）							
(教室・ろうか・別室)で、親と先生と(＋親しい友達)（遊び・本読み・会話）							
(教室・ろうか・別室)で親と（遊び・本読・会話）							
運動場(園庭)で親と先生と(＋親しい友達)遊ぶ							
運動場(園庭)で親と遊ぶ							
校外(園外)で							
(先生・友達・親戚・知り合い)と電話・インターホンでの発声（原稿有・無）							
家の様子の録画ビデオ(テープ)を先生に（本読み・歌・楽器演奏等）見せる							
家の外で親と(＋友達1人・少数・＋先生)遊ぶ							
友達の家で友達と(1人・少数)遊ぶ							
家で友達と(1人・少数)遊ぶ							
家で親と(＋友達1人・少数・＋先生)遊ぶ							
家以外の場所で親と遊ぶ・外食する・買い物する							

★当てはまるところに○をつける
かんもくネット（Knet）　http://kanmoku.org/　　（2007年3月公開）

Q24…学校にどのように相談すればよいでしょうか？

　まず、先生に協力をお願いし、「場面緘黙」について知っていただきましょう。残念ながら「場面緘黙」を理解している先生はとても少ないのが現状です。「大丈夫です。そのうち治りますよ」「しゃべらないだけで元気です」と、子どもの状態を軽く受け取られることも多いのです。中には「わがまま」「頑固」と勘違いされる場合もあります。また、「親の養育態度が原因」という誤解が根強くあります。「過保護では？」「愛情不足では？」などと遠回しに言われ、傷つかれる保護者の方も多いようです。すぐに理解してもらえるとは考えずに、資料を見てもらったり、スクールカウンセラーや他機関の専門家から説明してもらうなどして、理解と対応をお願いしましょう。学校と保護者が良い関係をもち、協力して子どもの対応にあたることが望まれます。保護者は、先生と子どもの間の「橋渡し役」をつとめましょう。子どもの言いたいことを先生に伝え、先生と子どものコミュニケーションを促進させます。

●先生やスクールカウンセラーに場面緘黙についての資料を見てもらいましょう。
●保護者が先生と子どもの間で「橋渡し役」をつとめましょう。
●相談機関や医療機関にかかり、学校と連携してもらうと理解が得やすいようです。

　担任の先生だけでなく、養護教諭や特別支援教育担当、管理職の先生など複数の先生に相談に入ってもらった方が学校全体で取り組んでもらえます。

Q25…特別扱いしてもらって、よいのでしょうか？　甘やかしになりませんか？

　緘黙児の親は内気な方が多く、学校に迷惑がかかるのではと気にする方や、学校からなかなか理解が得られないことに傷つき、協力をあきらめてしまう方も多いのではないかと思います。

●「特別扱い」「甘やかし」と、「必要な支援」は異なります。

　子どもはそれぞれ得意と不得意をもっています。高すぎるハードルは子どもにとって負担だけで、子どもの伸びる力をいっそうはばんでしまいます。緘黙児は放って置かれることが多く、不登校になって初めて支援を受けるケースも少なくありませんでした。安心できる学校環境を整え、話さなくても参加できる活動を用意し、非言語的なコミュニケーションを促進させることが大切です。自己評価を高めていくには、得意部分を認めてさりげなくほめてもらうこと、学習面での配慮が必要です。また、緘黙児は友人関係のサポートがなければ孤立してしまいます。これらは「特別扱い」「甘やかし」ではなく「必要な支援」です。

Q26…入園後（入学後）1ヵ月過ぎても、子どもは園（学校）で話しません。しばらく様子を見ていればいいでしょうか？

●場面緘黙は早期発見・早期対応が大切です。

　不安になりやすい気質をもった子どもが、緘黙になるかならないか、また症状が悪化するかしないかは、学校や園の環境に大きく左右されます。不安の低い環境を整え、適切な対応や効果的な遊びについて、先生と保護者で相談されることをお勧めします（第2章2-B）。学校や園がよい環境ならば、初めは話せなくても、自然に声が出て普通に会話ができるようになる子どもも多いようです。

　子どもに慣れる様子が認められない場合は、医療機関や相談機関などにかかられることをお勧めします。子どもは発達の問題を抱えている場合もあります（Q12参照）。

Q27…少し話せるようになってきたので、もう大丈夫でしょうか？

　緘黙児は、発話が可能になった後も、人とのコミュニケーションが苦手で社会不安が高いことが多いようです。話せるようになった後の学校生活の方がつらいことが多く、たいへんだったと振り返る緘黙経験者もいるほどです（Q8参照）。

●緘黙の症状は、不安の一つの現れであって、氷山の一角に過ぎません。
●少し話せるようになった後も、引き続き理解と支援が必要です。
●場面緘黙の診断基準に当てはまらない場合でも、場面緘黙としての理解と支援が必要です。

　学年が変わったり親しい友人が転校するなど、環境の変化があると、状態が後退することがあります。状態が後退した時は、何が影響しているか、先生やカウンセラーと話し合ってみましょう。後退は、子どもにとっても保護者にとっても非常につらいものです。しかし、安心して話すことができた経験が、なくなってしまうわけではありません。話せた経験はきっと今後に活きてきます。大切なのは、楽しく人とコミュニケーションがとれた経験を積み重ねることです。

　「今は条件がそろってないだけだよ」「きっとまた、うまくいくようになるよ」と話してあげましょう。学校での環境整備を行ない、今楽しく話せる人や場所を維持しましょう。落ち着いたら、また少しずつコミュニケーションをとれる状況を広げていきます。

Q28…どこに相談に行けばよいのでしょうか？

●市や県の相談機関、児童相談所、小児科、心療内科や心理クリニックに行って、児童精神科医や心理士に相談しましょう。
●スクールカウンセラーや養護教諭にもぜひ相談してみてください。
●場面緘黙の資料を見てもらいましょう。

相談機関によって違いがありますが、次のようなことを行ないます。

①子どもの現在の様子とこれまでの経過、生育歴や家族状況などについてたずねます（面接時に、生育歴やこれまでの経過を簡単にまとめたメモがあると役立ちます）。
・発達の経過、発症時期や発症前またその後の子どもの様子についてたずねます。
・不安と発話の状態を詳しく調べます。
・家族の性格（気質）や家庭環境について把握します。
・環境の変化についてたずねます。恐怖の体験、つらかった体験、失敗体験や、その体験が緘黙の症状にどう影響しているかについて検討します。
・環境の中で不安を増幅し、症状を固定させているものが何か検討します。

②心理検査や行動観察によって、子どもの状態の理解を進めます。
・子ども発達・認知や知能・情緒などの特徴を把握します。
・発達障害の併存、感覚過敏やことばの問題、運動機能などを調べます。

③その子に有効なアプローチを検討していきます。
・家庭や学校で不安の少ない環境を整えるにはどうすればよいか、今後の目標や方針、有効なアプローチについて話し合います。

第2章　対応

コラム25 病院や自治体によって対応がとても違いました（4才男子の保護者）

〔京都府○○市〕

　年少で入園後、場面緘黙の状態から全緘黙症になったため、5月下旬に自治体の発達相談の経験のある小児科の「発達相談」を受診して、大学病院を紹介される（1ヵ月待ち、その間に家で話せるようになる）。7月上旬に大学病院を受診して細かいヒアリング後「必要ならセラピーを。親の負担になるならやらないほうがよい」と言われて、様子を見ることになったが、8月下旬また全緘黙となる。自治体の発達相談に電話をし、自治体のセラピーや支援プログラムの問い合わせをするが、電話担当の人は緘黙症を知らず、発達心理の担当者から後日電話が来ることになった。後日電話があり「9月の病院の診察を待って、その後面談を組みましょう。また電話します」と言われる。9月下旬にようやく電話がかかってくるが、支援プログラムの入所は3、4ヵ月待ちとのことだった。

　発達センターはあるが、面談や支援プログラムを受けるのに時間がかかった。病院や園との連携が取りにくく、どこにどう相談してよいのか悩んだ。

〔東京都○○区〕

　引越し先の病院をネットなどで事前に探し、予約（予約1ヵ月待ち）、10月中旬に診察を受ける。細かいヒアリングをし、セラピーをどうするか、入園相談も含め自治体の発達センターにも問い合わせをしてくれる。担当者からすぐ連絡が来て、面談の日程を組み、10月下旬、発達センターにて面接と簡単なテストの後に、「発達面で大きな問題は見られない。幼稚園は公立はどこでも受け入れる。私立も家の近くの園はいろいろな子を受け入れている。願書提出前に問い合わせをして相談するとよいでしょう」「支援プログラムはどちらでもできるが、病院のほうが通いやすいのなら病院で進めましょう」とアドバイスを受ける。現在、病院でセラピー（箱庭・遊戯療法）を受け、何かあったら発達センターとも連携する形で治療中です。

　発達センター・病院の連携が取れていて、対応もスピーディーだった。園との情報交換もしやすい。小学校・中学校では選択制で「ことばの教室」「支援学級」を設けている学校が点在しているので、必要ならその学校に通うことが可能と言われた。

Q29…なぜ検査を受けた方がよいのですか？

●検査で子どもの特徴を知ることは、不安を下げる環境を整えたり、取り組みを進めていく上でとても役立ちます。

　よく行なわれる発達検査・知能検査は、WISC-Ⅲ（児童用）、ビネー式知能検査、新版K式発達検査、K-ABCです。特にWISC-Ⅲは、子どもの得意と不得意を把握するのに役立つ知能検査で、ことばを用いて行なう「言語性」と、ことばを使わずに行なう「動作性」の問題があります。子どもは、検査時に話せないために言語を用いた検査はできないかもしれません。子どものノートや作文や絵などの作品や、家庭での様子を収めたビデオを見てもらうのもよいでしょう。「検査」を怖がって拒否する子どもがいます。子どもにどのように説明して検査まで気持ちをもっていけばよいか、心理士に相談しましょう。

コラム26 「苦手な部分」と「得意な部分」がわかる (小3女子の保護者)

　スクールカウンセラーに勧められて受けたWISC-Ⅲのおかげで、具体的なアドバイスや支援をいただけるようになりました。子どもの苦手な部分は再認識させられましたが、それだけではなく「得意な部分」もわかったので、子どもも楽になったし、私が安定できるようになりました。

コラム27 検査結果を活かして対応を丁寧に (小2男子の保護者)

　私は息子のことはなんでもわかっていると、おごった気持ちでずっといましたが、WISC-Ⅲを受けて、いろいろ特徴を知り、私も息子への対応が少し丁寧になり、すると息子の方も私にさらに自分を出すようになりました。勉強も文章問題に時間がかかるので、なるべく書いたり、物をつかったりして教えています。それだけでも息子はおかあさん見て見て！　とやる気を出すようになりました。

　昨日は、提出物を出すときに緊張すると初めて具体的に不安を言ってきたので、メモ用紙に何を提出したらよいかいっしょに考え、息子に書かせました。

　　　　おんどくカード
　　　　おしっこ（尿検査）
　　　　おかね（納入金）
　　　　れんらくちょう
　　　　かん字ノート（宿題）
　　　　さんすうノート（宿題）
　　　　けいさんドリル

「うわぁ～7個もあるのか。それは大変だ。おかあさんなら忘れそう。おかあさんは忘れん坊だから、こうやってよく紙に書いて出したら線を引いていってるよ。7個もあるのに、全部出せたらすごく偉いことだよ」と話しました。

コラム28 言語性IQと動作性IQの差が18も (小4女子の保護者)

　病院での検査の結果が出ました。言語性IQと動作性IQの差が18もありました。特に、動作性IQは軽度の知的障害者レベルと書かれてありました。一言でいうなら超不器用ということらしいのですが。正直かなりへこみました。自転車さえ怖がる娘に、そんなんでどうするのと怒ってばかりいました。娘のせいじゃなかったのに……。図工もへたくそです。体育もかなり苦手です。だから、外遊びも鬼ごっこではずっと鬼、ジャングルジムでもみんな上にあがってしゃべっているのを下で見ているだけだと言います。同級生についていけず、だんだんコンプレックスになり、自己評価が下がっていくようです。体育でチームを作るときも、運動オンチの娘と組むと負けるからと避けられることもあったそうで……本当につらかっただろうなあと思います。

第2章　対応

2　適切な環境を整える

2－A　保護者のみなさんへ

■子どもの不安に、共に取り組みましょう。保護者は緘黙児の1番の理解者になってあげることができます。
■緘黙児は十人十色。それぞれみんな異なっています。
■周りの人に理解を求めましょう。場面緘黙について周りの人に説明しましょう。相手によって説明を工夫します。
■保護者の心の安定が大切です。サポートをしてくれる人を探しましょう。

■子どもの不安に、共に取り組みましょう

Q30…子どもと接する時に大切なことは？

子どもの自己評価を高めるために、次のことを心がけます。

●その子の持ち味を大切にしましょう。
●安心できるコミュニケーション体験を増やしましょう。

場面緘黙の発症の原因は養育態度ではありません。しかし、子どもが成長していく中で養育態度は子どもに大きな影響を与えます。

(1)　その子の持ち味を大切にすること

この子どもたちはとても個性的です。一般に「元気で、活発で、友達がたくさんいる子ども」が平均的なよい子のイメージとされています。平均的なよい子になるべく近づけようとすると、このタイプの子どもには大きな負担になります。個性を育ててあげるためには、子どもの特徴、子どもの持ち味をよく知ることが大切です。学校や園で評価されるようなよい子の基準とは別の基準、その子が固有にもつすばらしさを見つけて評価してあげましょう。例えば、何か物づくりに一心不乱になったり、創作活動に没頭したり、知識収集に夢中になる子どもがいます。子どもは自分だけの世界で遊ぶことで、心のエネルギーを充電しているのです。このタイプの子どもは、物が相手の世界の方が安心だったり、自分の内的世界でひとり楽しむ時間が必要です。実際、知識の世界、豊かな創造性、芸術性に開かれていることが多いのではないかと思います。子どもの性格そのものを変えることはできません。その子の持ち味を大切にしてあげて下さい。充電できる時間をたっぷりもつことが、その子が苦手な部分に挑戦していくエネルギーになっていきます。

(2) 安心できるコミュニケーション体験を増やすこと

　緘黙児は、新しい環境に慣れるのに時間がかかります。自分から環境に働きかけることが苦手なために、放っておくと新しい体験をできないまま過ごしてしまいます。子どもの状態をよく見ながら、少しずつコミュニケーション体験を増やしていきます。発達をうながす取り組み、スモールステップの取り組みなど、この本に書かれている実践のほとんどがこれに当たります。

　「子どもは失敗しながら成長する」などと安易に考えることは、このタイプの子どもには危険です。確かに適度な失敗は子どもを成長させるでしょう。しかし、失敗ばかりでは子どもは成長することができません。抑制的な気質や発達のアンバランスをもつ子どもは、環境を整えないでいると、気がつかないうちに毎日失敗体験を積んでしまうことが多いのです。子どもたちは「がんばっているのになぜできないんだろう」「どうせできないんだ」と考え、自己評価が下がりがちです。変えるべきは周りの大人の意識です。うまくいった体験が増やせるよう、ステップを用意する時は7割以上成功が見込まれる場面設定を心がけましょう。

コラム29　本当の自信とは？ (高1女子の保護者)

　子どもが、安心して好きなことをして過ごす時間が保障されるということは、特に不安になりやすい子どもの場合、とても大切なことだったと感じています。娘は中学生になったとたん、部活などで大変忙しくなってしまい、心身ともに疲れきってしまったようでした。小学校のころのように、夢中になって好きなことを楽しめる時間が全く取れなくなり、たくさんのことをきちんとやらなければとあせるあまり、心のバランスをとることが難しくなってしまいました。小さいころに比べれば、少しは話ができるようになっていた娘でしたが、忙しさの中で様々な不安がいっぺんにふくらんでしまい、体調を崩したことがきっかけで、不登校となってしまいました 。

　あらためて振り返ってみると、不安が大きくなりがちな娘に、何かをできるようにさせて自信をつけてやろうと思った時期があったのですが、その努力が、どこかで子どもに「できることがよいこと、成果をあげなくては」という焦りを生み出す価値観を伝えてしまったのではないかとも感じ、反省しています。「がんばらなければ」と生真面目に思ってしまいやすいところがある娘は、ひとりで自分を追いつめてしまっていたようでした。こうした子どもの場合、本当に好きでやりたいことを大切にして、心を安定させることのほうが、友人の中で自分らしくいるための自信になるのかもしれないと感じています。

Q31…これはしてはいけないということはありますか?

次のようなことをすると症状が悪化します。

- ●話すようプレッシャーを与える。
- ●物でつる、強要する、脅すなどして話をさせようとする。
- ●話さないことを責める。嫌がることをさせる。
- ●人に注目させる。

　子どもに話すことを強制するやり方は、子どもの症状を悪化させます。確かに「声を出して」「話してみて」「『おはよう』って言ってみて」というやり方で、声が出たという例があります。子どもの状態と周りの状況の様々な条件が、たまたまそろっていたためにうまくいったのです。子どもが発話できるかどうかは、子どもの不安の状態とその時の「人」「場所」「活動」などの細かい条件で、決まってきます。

　行き当たりばったりのやり方で、子どもに発話を求めてうまくいく可能性はほとんどありません。そして、たとえその時発話に成功したとしても、次へとつながっていきにくいのです。成功例の表面的な方法やその一部だけを安易にまねしても、うまくいかないどころか、かえって症状を悪化させてしまいます。不安が高い状況で子どもに発話させようとして、子どもが失敗体験を重ねないようにしなくてはいけません。

　また、緘黙児は人が注目している状況が苦手です。話すかどうか、できるかどうか人に注目されると、よけいに緊張してしまいます。

- ●目的は「発話」ではなく、楽しくコミュニケーションができたという経験を増やすこと、達成感や自信を得る経験を増やしていくことです。

コラム30　話すことを強要してしまっていました (小5女子の保護者)

　娘は幼稚園時代は話していたのですが、小1の時にクラスの男の子3人から意地悪をされ、それをきっかけに場面緘黙になってしまいました。もともと小さい時から人見知りがひどく内気な性格でしたが……。

　まだ小1の時は、家ではお友達と話していたので、私もなんとも思ってませんでした。小2から、全くお友達とも話さなくなりました。最初は赤ちゃんが生まれたから赤ちゃん返りだと思い、あの子に対して話すことを強要していたひどい親でした。「家でそんなに話すのになぜ学校で話さないの?」「学校でも話しなさい!」など。今から思えば、もう最低!　鬼のような親です(今とても反省しています)。現在Knet資料ができて読ませてもらい、場面緘黙というものが少し理解できてきたような気がします。

> **コラム31** いきなり教室で声を出すのは無理です （中3男子の保護者）

　実は、中3で、担任の先生と1対1で個室で話せるようになった時、子どもと「じゃあ次は授業中の音読にチャレンジしてみよう！」という話になったんです（その頃私はまだ、スモールステップの中身を理解していなかったのです）。「段階を踏んで慣れさせなければ無理だ」となんとなく感じてはいたのですが、「これ以上担任の先生に負担をかけられない」という気持ちもあり、本人が「できる！」と自信たっぷりだったので、「だめだったら、その時点でレベルダウンすればいいか」という安易な考えで、国語の先生にお願いしました。1回目できなかった時にやめとけばよかったのに、子どもが「この次の時間は必ずやる！」と言うものだから、さらに2回3回とトライさせてしまいました。「いきなり教室で声を出すのは無理なのだ」ということを本人と話し合うことができたのは、ある意味成果だったかもしれないのですが、国語の先生に対する強い苦手意識ができてしまいました。失敗です。

Q32…「なぜ学校（園）でお話ししないの？」と聞いても答えません。

●なぜ話せないのか、どうしたら話せるのか、子どもは自分でもわからないのです。

> 子どもが答えないのには、様々な理由があります。
> ・何と答えてよいのかわからず、戸惑っている。
> ・話せないことを責められていると感じている。
> ・わかってもらえないことに、悲しみや怒り、反発を感じている。

子どもは自分が話せないことに対してどう感じているでしょうか？

・自分に何が起こっているのか、自分の状態がわからず混乱している。
・話したいと強く思っているのに、自分でも声が出ないことが悲しく淋しい。
・自分が話せないことに、いらだちを感じている。
・人とかかわりたくてもどうかかわってよいかわからず、話すことをあきらめている。
・学校や園では不安と恐怖でいっぱいで、話すどころではない。
・人に対して関心が向かず、人といっしょに何かすることを楽しいと感じない。
・「話せない自分」という自己イメージをもち、話せなくてもいいと感じている。

　子どもは、不安や恐怖のためにどうしても声が出ないのです。怖く感じて声が出ない子どもがいること、そして、楽しいことをしていくうちに、きっとよくなることを話してあげましょう。

第 2 章　対応

コラム32　「なにをするのかわかりません」（小3女子の保護者）

　娘は今春、新しいクラスメートからこんなお手紙をもらいました。
「海ちゃんは、なんでわたしのまねをできるのにしゃべれないのですか？
わたしはしんぱいです。はやくよくなってね。わたしはしゃべれます。
※お母さまへ　わたしはすごくしんぱいしていますのではやくなおしてください。」

　まるで風邪でもなおすみたいな表現ですが、心配してくれている感じが伝わってきます。そして、それに対するお返事として、娘が書いた手紙がこれです。

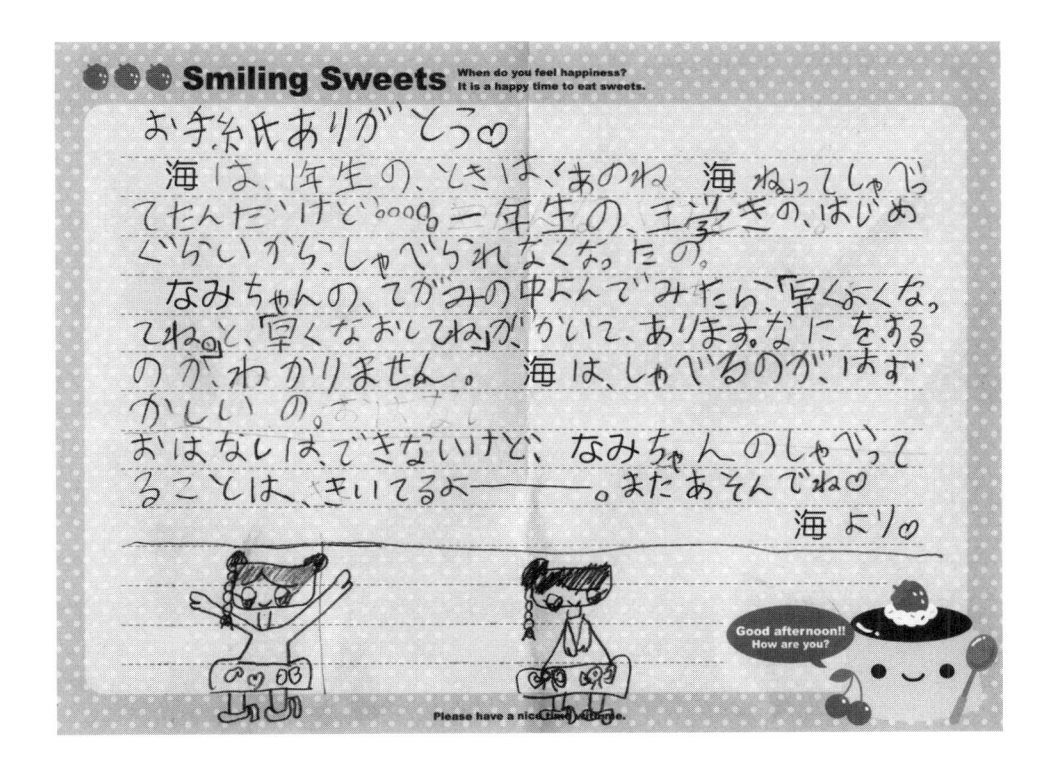

> お手紙ありがとう♡
> 　海は、1年生のときは、あのね　海ねってしゃべってたんだけど……。一年生の、三学きの、はじめぐらいから、しゃべられなくなったの。
> 　なみちゃんの、てがみの中よんでみたら、「早くよくなってね」と、「早くなおしてね」が、かいて、あります。なにをするのが、わかりません。海は、しゃべるのが、はずかしいの。
> 　おはなしは、できないけど、なみちゃんのしゃべってることは、きいてるよ————。またあそんでね♡
> 　　　　　　　　　　　　　　　海より♡

　娘は、自分の気持ちを「ことば」で表現するのが苦手です。学校で緘黙していることなどについて聞いても、いつも「言いたくない。聞かないで」という感じで、黙り込んでしまうことが多いのです。でも、この手紙の中の『なにをするのかわかりません』ということばに、気持ちが現れていると思います。緘黙している当事者や関係者は、話したいと思っても、話せって言われても「どうしたらよいのかわからない！」と、困っている人がたくさんいます。

Q33…「学校で話せないこと」について、子どもに触れないほうがよいでしょうか？

● 「誰だって怖いと思うことがあるんだよ」「学校（園）で話すのが苦手な子どももいるんだよ」と話してあげましょう。

　たいていの子どもは最初は「話せないこと」に触れたがりません。話す、話さないに重点を置かないように気をつけましょう。大切なのは「話すこと」ではなく、子どもが「自分の不安に対処できるようになること」なのです。緘黙は不安の一つの現れであって、氷山の一角にすぎません。

　小さな子どもでも、自分が話せないことに少しずつ気がつくものです。ほかの子は話すことが難しくないようなのに、どうして自分は話せないのか。自分は人より劣っている、自分は人とは違う、自分はおかしいのかもと、自分が話せないことに悩みはじめます。保護者が子どもの力になってあげるためには、子どもの話すことへの不安について、いっしょに取り組んでいく必要があります。「学校で話せないこと」に触れまいとあわてて話題をそらしたり、「○年生からはがんばるのよ」などど遠回しに言うのでは、子どもはひとりぼっちだと感じるでしょう。

　子どもの状態を見ながら、大人が次のように思っていることを伝えるようにしていきましょう。小学校中学年以上の子どもは、自我が芽生えてきます。思春期に入ると親にかかわられることを嫌がり、親に自分の気持ちに立ち入られたくないと感じる場合も多いでしょう。子どもの年令や性格によって伝え方は様々です。Knet資料No.10と中高生用のKnet資料No.6をご利用下さい。

- 子どもが自分でもなぜ声が出ないかわからず、つらい思いをしていること（子どもによっては、話したい気持ちになれないこと）を親はわかっているということ。
- 家ではおしゃべりできるのに、学校や園で声が出ない子どもがほかにもいること。年令が上の子どもには「場面緘黙」「選択性緘黙」という名称があると知ることで、安心感が得られる子どももいます。
- 親（先生や専門機関の先生など周りの大人も）は、子どもの力になりたいと思っていること。あなたはひとりぼっちではないということ。
- 「リラックスすること」「楽しい気持ちでいること」が一番大切だということ。「話さなければ」というプレッシャーを取り除くことが大切だということ。
- 安心できて楽しいことをしていくうちに、少しずつやれることが増えていき、きっと話せるようになること。自分のペースが大切だということ。それを、親もいっしょにやっていきたいこと。

第 2 章　対応

コラム33　「話すこと」をあまり意識させないようにしました （5才男子の保護者）

　息子は今まで自分から、「話したい」とか「どうして話せないの？」と言ってきたことはありません。どうも、自分の中で漠然と「話さないことはいけないこと」という意識があるようです。彼の場合は「話すこと」をあまり意識させない方が、かえってよい結果につながるような気がしています。息子の場合、今まで計画的にスモールステップで会話につなげていった訳ではなく、少しずつ少しずつ回復していって、ある日突然次のステップに進んでいたというパターンなのです。それも、少しずつ進歩と後退を繰り返しながらという感じです。

コラム34　「どうしてしゃべれないの？」と、子どもに聞かれて （小1男子の保護者）

　最初に市のセンターに行くときに、「お母さんも小さい頃お話ができなかったけど、ある所（センター）に行ったら、少しずつ少しずつお話ができるようになったんだよ」と言いました。うちの息子はとにかく「治るのか？　治るのならそれはいつなのか？　どうしたら治るのか？」を最初から、何回も質問してきました。だから、治るためにはがんばる、とかなり意識してしまったと思います。でも、こんな小さな子があんまり意識するのは、かわいそうでした。息子は私に自分の気持ちをよく言いました。お友達もでき、夏休みにそのお友達とたっぷり遊んで、自信がついてきました。しかし、2学期が始まり、自信があったのに、お返事ができない自分にかなり落ち込んでいました。この時は、「どうしてしゃべれないの？　お返事できないの？　しゃべれるようになりたい！！」と悔し涙を流していました。もう、これは私も泣きました。子どもといっしょに。

コラム35　「受け入れる」と「導く」 （4才男子の保護者）

　年少で入園とともに場面緘黙症になり、その後親類の死、引越しなどがかさなり全緘黙になっています。　息子は「しゃべれなくて困ることがある」と思っているけれど「しゃべりたいと思っていない」ようです。「話す」ことに関してどのくらい突っ込んだ話をしてよいのかわからず、まったく触れないでいたのですが、セラピーの先生によると「お話できたらもっといっぱいママと遊べるね」と事実で希望をもたせつつ、「困ったときは守ってあげる」と安心させることが大事だそうです。対人恐怖も強くあり、感情も押さえ込んでいるので、人と接する方法や感情の発散のさせ方も導いていく必要があるそうです。「受け入れる」と「導く」。私がもやもや考えていたことをセラピーの先生がことばでうまくまとめてくれたので、納得できて、少し気が楽になりました。

Q34…学校から帰ってきた子どもに「お話できた？」「お友達はできたの？」と聞いてしまいます。

●子どもの「自信」が育まれるようなことばかけを工夫しましょう。

　家に帰ると毎日親にこのように聞かれて、うんざりだったという話を緘黙経験者から聞いたことがあります。保護者が子どもを思うあまり、ついこのように聞いてしまう気持ちもわかります。しかし、子どもにはプレッシャーになり逆効果です。このような声かけでは、子どもは自分のつらい気持ちを親に話す気にはなれません。

●「話す」ことばかりに注目せず、子どもの全体を見ましょう。

　「こんなことができるようになったね」「それはいやだったね。つらかったね。でも大丈夫。きっとよくなると思うよ」「今のあなたが大好き」というメッセージが伝わるようにしましょう。子どもといっしょに「話すことの不安」に取り組むためには、子どもが保護者に安心して話せる雰囲気が大切です。親という味方がいれば、子どもは大きな力を得ることができます。

●ポジティブな態度が大切です！！（K net資料No.11より一部改変）
　ポジティブな態度で接してあげましょう。英国のSMIRA(スマイラ)では次のようなことばかけを例としてあげています。保護者や先生は、知らず知らずのうちに、子どもがみじめな気持ちになったり、落ちこんだりする声かけをしていないでしょうか。「　」のような声かけが、子どもに元気を与えます。参考にしてみてください。

・難しすぎると思ったら何もしなくてもいいんだよ。
　　→「安心してできると思えるようになったら、挑戦してみようか」
・つらいでしょうね、同じ悩みを抱えている子はほかにいないんだから。
　　→「ほかにも、本当はとっても話したいのに、話すのがたいへんだって思っている子がたくさんいるよ。でも大丈夫。みんな同じように乗り越えていくんだよ」
・もちろん、ほかの子どもたちはあなたのことを変だなんて思ってないよ。
　　→「ほかの子どもたちはあなたがしゃべらないから不思議に思ってるかもね。でも、本当はちゃんと話せるんだものね。みんなは知らないだけ」
・今日は先生とすごく話をしたかったんだね……でも心配しなくてもいいよ。そんなにたいしたことじゃないんだから。
　　→「今日は先生と話ができなくてがっかりだよね。でもできなかったのにはちゃんと理由があるの。準備が整えば、いつか必ず平気になるよ」

Q35…子どもは自分の気持ちがなかなか言えません（Q38参照）。

●子どもの方から自然に話したくなる雰囲気を作ってあげましょう。
●子どもの「気持ち」に注目して、耳を傾けます。
●子どもの気持ちにぴったり合うことばを探してあげましょう。

　子どもに、答えにくい質問ばかりしていませんか。正しいことを教え、アドバイスしようとばかりしていませんか。楽しかったこと、悲しかったこと、いやだったこと、いろんな出来事を話す時、そのことばの背景にある気持ち、子どもがどんなふうに感じているか想像しながら聞いてあげてください。

　緘黙児は、自分の気持ちをことばで表現するのが不得意な場合が多いのです。ことばの発達に問題がある子どもは、思っていることをうまく説明できません。目で見ることができない概念や抽象的なことばの理解が不得意なために、自分がどう感じているかをことばで表現しにくい子どももいます。怒る、泣くなどの行動も、「なぜかわからない」「どうしてよいかわからない」と言うことも、気持ちの表現なのです。

　子どもがことばにできない様子の時は、保護者は「～だったのかな」と、子どもの気持ちにぴったり合うことばを探してあげましょう。紙に文字や図（絵）を書いて整理してあげながら話し合う方法も有効です。子どもが怒ったり泣いたり、わざと話をそらせてしまった時は、「～がいやだったのかな？」「～って言いたかったのかな？」と子どもの気持ちを想像してことばにしてあげましょう。子どもが言いたいことを先取りしてしまわないよう気をつけます。また、まだことばにはできない、その子どものもどかしい気持ちも大切にしてあげましょう。「お母さんは～なんだよ」「お父さんは～って思うよ」と親がその時感じていることを伝えてあげることも大切です。

コラム36 不安な気持ちをママには「ことば」で伝えて欲しい（小3女子の保護者）

　今、娘は学校で完全な緘黙状態、それと分離不安のため、家にいるときは私の後をピッタリくっついてきて、まるで私の影のように行動しています。登校時のお別れも大変です。でも、緘黙も、私からは離れられないっていう行動も、どちらも娘の中の「不安」の表現ですよね。それがわかってからは、「娘の抱えている不安を共有したい」「不安な気持ちを、わかってあげたい」と思っています。でも、娘には、そんな自分の心情を「ことばで表現する」力が、今のところ育っていない気がしています。学校でのことを「今日、○○ちゃんと遊んだ」「○○を見て楽しかった」と、お話ししてくれても、緘黙している気持ちについては、なかなかいい表現が見つからないようです。先日「どうすればいいのかわからない」というような表現をしてくれたのが初めてでした。

Q36…きょうだいもいるし、話を聞いてあげる時間がなかなかとれません。

●短い時間でよいので、お母さんと二人きりの時間を意識的に作りましょう。
●家族が、緘黙児の1番の理解者であり支援者であることが望まれます。

きょうだいがいる場合は、子どもと二人きりになることが難しく、ゆったりした気持ちで子どもの話を聞く時間を見つけにくいものです。特に長子の場合は、子ども自身がきょうだいに対してプライドがあり、母親に甘えて素直な自分の気持ちを出しづらいかもしれません。短い時間でよいのです。例えば、寝る前に「絵本読み聞かせタイム」やお風呂上がりに「耳かきタイム」をとるのはどうでしょうか。何も話さなくても、くすぐったり、じゃれたりして遊んでいっしょに過ごすだけでもよい効果があります。

きょうだいには、年令に合わせて場面緘黙がどういう状態なのか少しずつ理解をうながしましょう。かんもくネットのサイトにある啓発資料「きょうだいのあなたへ」をご活用ください。

コラム37 「耳かきタイム」(小1の男子の保護者)

　私はよく息子の耳掃除をします。夜の9時頃の時間帯が多いです。うちは上の子がこの時間にお風呂に入ることが多く、この時間にいつも二人きりになるのでこの時間を大切にしています。息子はごろんと寝っ転がって、私のひざに頭をのせます。お母さんにぴったりくっついている、顔はむこうを向いている、お母さんから顔を見られていないという安心もあって、少しずつ自分の気持ちを話すようになりました。

　ある日、「僕、前(保育園の時)はどうしていいかわからんかった。ずっとこわかった」と涙ぐみながら、気持ちを語りました。思わず「お母さん、ずっと気付かなくてごめんね」と泣いて謝りました。

Q37…子どもが初めて話した時、どんな反応をすればよいでしょうか?

●同じ調子でさらに会話を続けて、ことばが続けて出るようにうながしましょう。

保護者はとても嬉しいでしょう。心の中ではおおいに喜んでください。でも、緘黙児は、自分が話したら周りがどのような反応をするのかといつも恐ろしく感じています。大げさな反応をされたり「○○ちゃん、話せたね」などと言われると、もう話せなくなってしまいます。何もなかったかのようにそのまま会話を続けましょう。同じクラスの子どもには、緘黙児がはじめて話したときに「○○ちゃんが話した」などと言わないように、あらかじめ話しておきましょう(Q56参照)。子どもと話し合ってステップを組んでいる場合は、挑戦が成功したことをほめ、何かごほうびをあげてもよいでしょう。

■緘黙児は十人十色

Q38…ことばの問題が関係しているようです。

●話しことばや言語の問題があることが、緘黙の症状に影響している場合があります。

　専門機関にかかり、言語聴覚士や心理士に相談してみましょう。「聞く」プロセス・「話す」プロセスのどこかに不具合をもっている緘黙児がいます（ コラム73 参照）。

- 家庭では、話し方への苦手意識を強めないように気をつけてあげましょう。軽い吃音（きつおん）や音韻障害をとても気にしていたり、自分の声を変な声だと思っていることが、緘黙に影響している場合があります。
- 苦手意識を弱めるために、ことば遊びや絵本が役立つ場合があります。緘黙児はとても敏感で、無理をしいると逆に苦手意識を強めてしまう場合もありますので気をつけましょう。
- 家庭では子どもがたくさん話したくなるように接してあげましょう。会話や遊びの主導権を子どもにもたせるインリアル・アプローチが参考になると思います。

◆インリアル・アプローチを参考にしましょう[23]

　インリアル・アプローチ〔Inter Reactive Learning and Communication （INREAL）〕は、1974年に米国のコロラド大学のリタ・ワイズ博士によってことばの遅れのある子どもへのコミュニケーション・アプローチとして始まりました。訓練によって子どもを指導するのではなく、子どもが発する自由な会話の中で、子どもの伝える力を育てようとするものです。コミュニケーションを子どもと大人の相互作用の観点からとらえ、実際は、ビデオ分析という客観的な方法を用いて大人のかかわり方を検討する方法です。

　家庭での子どもへのかかわりの中でも、このアプローチはヒントになることが多いように思います。ことばの発達をうながすには、会話や遊びの主導権を子どもにもたせるようにする、子どもの発達のレベルやリズムにあわせた受け答えをする、身振り手振りなどの非言語コミュニーションを大切にするなどの特徴があります。楽しい雰囲気や声の大きさや態度、テンポに気をつけましょう。

次のSOULは、大人側の基本姿勢です。
『S』沈黙（Silence）：子どもの反応を待つ。子どもに主導権をもたせる。
『O』観察（Observation）：子どもの気持ちや状態を知る。
『U』理解（Understanding）：観察した事柄を、ことばの発達に添って理解する。
『L』傾聴（Listening）：今その子が言おうとしていることを、全身を使って聴く。

「7つの手法」も参考になります。
> ミラリング（子どもの行動をまねっこする）
> モニタリング（子どものことばをそのまままねて返す）
> パラレル・トーク（子どもの行動や気持ちをことばにしてあげる）
> セルフ・トーク（大人の行動や気持ちをことばにする）
> リフレクティング（子どもの文法的誤りを指摘はせずに、正しく直して返す）
> エキスパンション（子どものことばを意味的、文法的に広がりを持たせて返す）
> モデリング（モデルとなるような新しいことばをそえて子どもに返す）

コラム38　家庭でことば遊びや絵本を楽しむ（小2男子の保護者）

　息子は幼稚園年長の時から場面緘黙がありましたが、ことばが遅かったため2才から4才まで言語聴覚士に見てもらっていました。息子の漫画ノートを見返すと「むずかしい→ぶつかしい」「しゃべる→さべる」などとなっていました。聞いて理解するのにも少し時間がかかるようです。

　小2になってこの1カ月以上、息子は家で私と話しながら、ことばが出ない時に苦しそうに目をぎゅっとつぶるのです。見ていてとてもつらくなります。それで先日から、息子と「逆さことば」遊びを始めました。自分でも苦手なのがわかっているのか、最初はやる気を示さなかったので「お下品ことば」で責めたら、すんなり乗ってきました。早口ことばはムシキングの虫キャラです。息子は私に勝つので、かなり得意気分になります。ことば遊びを始めてから数日で、私に話しながら目をぎゅっとつぶるのはなくなりました。実際うまく話せないということもあるのでしょうが、それ以上に「自分は上手く話せないんだという意識」が上回ってたように思います。早口ことばや逆さことばなどを少ししただけで「大丈夫なんだという意識」が少しずつ芽生えてきたようです。寝る前には絵本を見ていっしょにお話を楽しんでいます。五味太郎さんの絵本はお薦めです。『ことばのあいうえお』[24]で、絵を見て何してる所か想像してお話を作ったり、『質問絵本』[25]であれこれおしゃべりします。決まった答えを求めるのではなく、自由に想像して、自分の思ったことをことばにしていくのが息子にはよいように思います。

Q39…感覚過敏があります。運動が苦手です。

●緘黙児の中には感覚過敏や感覚統合の難しさをもつ子どもがいます。何が子どもを不安にさせているか理解できると、過敏性への配慮を行なえます。

　広汎性発達障害の子どもの多くは、様々な感覚過敏をもっていますが、緘黙児の中にも同じ理解と対応が必要な子どもがいるようです。例えば、あなたはガラスがこすれる音、チクチクする素材の服、ギラギラした蛇の皮に不快感を感じるでしょうか。全ての情報は、感覚システムを通して脳が信号を受け取りますが、この受け取り方には個人差があります。感覚過敏のある子どもは、ほかの人とは異なる感じ方をするために、不安になりやすいのです。なぜ子どもが嫌がるかわからない行動は、感覚過敏が関係している場合も多いものです。感覚は過敏なだけでなく、逆にとても鈍感な部分もあります。感覚統合とは、周りから来る感覚情報から必要な情報を受け取って、脳が情報をまとめ、環境に対して適切に反応するというプロセスを指します。

感覚過敏と行動の例
　　視覚の過敏…ライトをまぶしがりいやがる。暗闇を怖がる。
　　聴覚の過敏…音楽や運動会のピストルの音をいやがる。雑踏をいやがる。
　　嗅覚の過敏…何かの香りや臭いをいやがる。
　　味覚の過敏…強い偏食がある。
　　触覚の過敏…軽くさわるだけでもいやがる。少しぬれるだけで服を着換えたがる。
　　　　　　　　同じ服を好む。靴下を脱ぎたがる。

　基本的な五感覚のほかに、重力やバランスを感じる前庭覚、関節や筋肉などの全身の情報を受け取る固有覚など、普段意識することが少ない感覚があります。この感覚に過敏さや鈍感さがあるために、身体のバランスが悪く運動が極端に苦手な子どもがいます。このような子どもはジャングルジムや自転車をよく怖がります。特に小学生までは運動が苦手なことが、自己評価の低下につながりがちですので、気をつけてあげましょう。

　緘黙児には怖さが先に立ち、体を動かすことに尻込みしてしまう子どもがいます。家庭で、柔らかい布団の上でゴロゴロしたり、布団に飛び込んだりして遊ぶのもよいでしょう。また、粘土やどろんこ遊びもしてみましょう。スポーツ活動や習いごとも検討してみましょう。嫌がることを無理にさせません。怖がらせないように、楽しみながら、ゆっくりと感覚統合や身体機能の発達を促していくことが大切です（Q62の(5)参照）。

Q40…家ではおとなしいどころか、いばっていて、すぐかんしゃくを起こします。

●家に帰るとそのストレスを吐き出すように、多弁になり、自分を主張し、かんしゃくを起こし、親にぐずぐず言う子どもがいます。

　緘黙児は学校で長い時間話すことができません。何かを知らせたくても、質問したくても話すことができないのです。みんなと同じようにできない、誰かに何か言われるかもしれない、緊張の連続です。想像してみてください。それは非常にストレスフルな状況と言えるでしょう。子どもたちは、学校で緊張と無理な課題を強いられます。そのためイライラをお母さんにぶつけることでしかストレスを発散できない子どもがいます。気分や注意力の調節ができにくかったり、独特のこだわりがあったり、怒りのコントロールが難しかったりする子どももいます。

●相談機関で発達検査を受けて子どもの特徴を知り、子どもが少しずつ自分で自分の気持ちをコントロールし、表現できるように援助していきましょう。

・「複数の情報を同時に処理できない」という特徴がある子どもは「〜ながら〜する」行動は負担です。何か言う時は、一つ一つ言うように気をつけます。
・「聴覚刺激が苦手」な子どもには、なるべく書いて示します。
・「見通しがたちにくい」子どもには、あらかじめ予定を紙に書いて伝えます。

●望ましい行動に注目してその行動を十分にほめ、望ましくない行動に対しては子どもの激しい感情に巻き込まれないように注意します。

　ストレスの多い環境に置かれている人の心に、怒りが生じるのはとても自然な心の働きです。楽しい遊びやスポーツで、怒りを逃してあげましょう。また、人や自分を傷つけたり、物を壊したりする以外の方法で、怒りに対処できるように援助していきましょう。怒りをコントロールし、相手に伝わる表現ができることが長期の目標です。そのためには、「感情のコントロールが難しい」子どもに、親も同じように感情的になっていては事態が悪化する一方です。巻き込まれそうと思ったら、深呼吸して10まで数えてから対応する、その場を離れほかのことに注意をそらし、あとで話し合う方法もあります。子どもに選択肢を示して、どうしたいか選ばせる方法が有効な場合もあります。こんなことが毎日続くと、保護者もイライラしてしまうでしょう。誰かに話して、サポートしてもらうことが大切です。

第2章　対応

コラム39 少し時間がたつと、考え直して修正できるように（中3男子の保護者）
　中3の息子はアスペルガー傾向があるのですが、小さいときから、少しでも間違いを指摘されると、かんしゃくを起こしてものを投げつけたり、ひっくり返って大騒ぎする子でした。今でも、眠い時間帯に何か言うと、怒り出して収拾が付かなくなります。先日も、先生との交換ノートについて「先生の質問には答えるようにしようよ」と言うと、「いやだ！！」と怒り出して、生活記録ノートを破いてしまいました。仕方がないので、破れた部分をテープで補修しておくと、次の日には反省し「もうしないからね」と言って、落ち着いて話をすることができました。何か注意すると、最初は拒否反応なのですが、少し時間がたつと、考え直して修正しようとします。「うちの子なりに、大人になろうとしてるんだなあ」とうれしく思っています。

コラム40 「髪型」にこだわり（小3女子の保護者）
　娘には、「髪型」にこだわりがあって、毎日、同じ髪型でないと怒ります。今は、少し落ち着いて、許してもらえるバリエーションも増えましたが、毎日同じ髪型で同じゴムで、少しでも位置がずれると怒るのです。だから、そんなにその髪型が好きなのかと思っていましたが、よく聞いてみると「違う髪形にしていって、お友達に『今日髪型変わったね』って言われるのがヤダ」という、理由でした。実に緘黙児らしいというか、こういうところも不安になるようです。

Q41…家庭でも話さない全緘黙です。

　学校でも家庭でも話せなくなった子どもの場合、次のような状態が考えられます。

- ・心的外傷性緘黙…トラウマ（心的外傷）が原因で急激に話せなくなる「全緘黙」。
- ・場面緘黙から「全緘黙」へ…場面緘黙の状態から、不安の高まりによって緘黙の症状が出る範囲が広がり、家庭でも緘黙になる状態。
- ・ヒステリー性失声…ストレスやショックな出来事によって急に発声器官が麻痺する状態。
- ・失語症…事故などによる脳の言語中枢の損傷

　全緘黙についてのまとまった文献は、現在まだ入手できていません。米国のSMG-CANのフォーラムで、次のような情報があります。

◆非言語的コミュニケーションが大切

　会話はコミュニケーションの一部分と考え、非言語的コミュニケーションを大切にします。子どもが手話や筆談を使うと、もう話さなくなるのではないかと親や先生は心配しがちですが、子どもの不安レベルが下がり、症状が軽減するようです。それが普通のことであるように子どもに接し、子どもがジェスチャーを使っているようであれば、家族もジェスチャーを取り入れて、皆で楽しい時間を過ごすとよいようです。

◆視覚的素材の利用

　コミュニケーションに、写真、絵、実際のものなど、視覚的な素材を多く用いましょう。

コラム41 全緘黙症になりました（4才男子の保護者）

　年少で入園とともに場面緘黙症になり、親戚のお葬式など様々なことが重なり全緘黙症になりました。小さい時からあまり泣かずにいて、緘黙症になるまでは「手のかからない子」とずっと思い続けていました。トラブルに巻き込まれる前に逃げたり、何かあっても反撃せずにあきらめることが多くありました。また、児童館などで順番に名前を呼ばれても、恥ずかしがって返事をしませんでした。

　とても敏感で、ほかの子が泣いていると固まって動けなくなるし、以前「先生が怒る」と話していたのも、ほかの子が怒られるのを自分にも重ねてしまっているようでした。

　感覚過敏もあるようで、大きい音が苦手だったり、食べ物の好き嫌いが激しいところがあります。離乳食のときからイモ類、野菜は食べず、2才過ぎてからはオレンジジュースは好きだけど、粒入りだと飲めなかったりしました。

　病院でセラピーを受けながら、家ではジェスチャーやひらがなボードでのコミュニケーションを尊重して、受け入れるようにしました。物事をよく観察していて、カブトムシひとつとっても、指2本なら「クワガタ」、3本指は「コーカサス」、3本指の指同士をくっつけて「ヘラクレス」などとても細かいサインを考え出し、親でもわからないときが多々ありました。

　ひらがなが読めるようになってからは、音の出るひらがなボードで細かいことを伝えてきました。それでも上手く伝わらないと、「ん〜」とかんしゃくを起こすこともありました。

　先が見えないことや人に対しての不安感を抱いていたようなので、その都度行動の予定を話し、いっしょに付き添って遊びました。私の方から他児に話しかけると、自分からも少しずつその子に働きかけるようになりました。虫が好きで虫捕りがとても上手だったので、それで友達にも一目おかれ、自信をつけることができました。歓声は出るので、鬼ごっこや戦いごっこなど体を使った遊びをたくさんして声を出しやすくしました。また、発声の機能が衰えないように、シャボン玉や笛など、のどを使う遊びも積極的にやりました。

　そのうちに、口を閉じてもごもご言ったり、独り言をポツポツ言うようになりました。その後、遊びの中で「ガタンガタン」や「ワンワン」などの擬態・擬音語が出始めました。しかし不安感が薄らいできても「話す」ことにつながらなかったので、一度「どうして話さないのか」聞いたところ（本当はやってはいけないことですが）、ひらがなボードで「はなすとおばけがでる」と指しました。「話してもおばけは出ないよ。出てもパパやママがやっつけるから絶対大丈夫だよ」と話すと少し安心した様子でした。

　ひらがなに対する興味が強くなり、筆記とともに独り言で「まみむめも……」などと時々言うようになり、大声で怪獣のまねで「が〜」と言うこともありました。ある日何回も「が〜」と吠えるので、ためしに「ぎ〜」と返すと「ぐ〜」と返事してきました。何回かひらがな遊びをし、「次は何かな？まみむめも？」と聞くと「ううん。はひふへほ。」と全緘黙後、初めてのことばでのやりとりができました。その後上の子との動物鳴きまねクイズで興奮し「犬は？」「ワンワン！」と返事したり「ニャーって鳴くのは？」に「ねこ！」と返事するようになり、これがきっかけで10ヵ月にわたる全緘黙が治りました。

第2章　対応

Q42…学校に行きたがりません（Q54・Q57参照）。

●子どもは、不安のために学校に行きたくないのです。子ども自身も、本当は学校に行けるようになりたいのです。
●保護者と先生は、どんな場面で子どもの不安が大きくなるのか検討してみましょう。
●不安を感じる場面を減らす方法を考えることが大切です。
●スクールカウンセラーや心理士に相談しましょう。

- 体育や美術、音楽、家庭科などの運動や作業、着替え、グループ活動が不安な場合や、行事や課題が負担になっている場合があります。どの部分に不安を感じるのか、一つ一つ紙に書き出す方法もあります。安心できる方法はないか、先生と検討してみましょう。行事は、予定について前もって具体的に話し合ったり、別の活動や別室での活動をするなど、不安を下げる工夫ができないか、先生と話し合いましょう。
- クラスで場面緘黙について理解がされていないために、子どもがつらい思いをしている場合や、クラスの中でいじめがあったり、何か嫌なことを言われたりしている場合は、その対応が必要です（Q55・Q59参照）。
- 覚醒レベルの調節が難しく、朝が苦手な緘黙児もいます。朝気分がよくなるような工夫をしましょう。
- 緘黙児の中には、朝の大勢の児童でガヤガヤした雰囲気の教室に入ることが苦手な子どもがいます。ほかの児童が来る前に登校して、しばらく保護者と教室にいて慣らす方法が有効な場合があります。
- 登校を嫌がるようなら、保護者が学校についていく方法も検討しましょう。保護者が学校にいる時間を少しずつ短くしていきます。時間や場所やすごし方を子どもと話し合い、子ども自身が決めることが大切です。
- 学校で緊張状態が長く続いたために、家庭で休養してエネルギーを充電する必要がある子どももいます。うつ症状や睡眠障害がある場合は、医師に診てもらいましょう。

コラム42 不登校時代を振り返って（40代男性の緘黙経験者）

　幼稚園～小学校～中学校と場面緘黙症でした。私は、学校に行くのが苦痛で、中学3年は出席日数はゼロ、卒業式も母親のみ行きました。私の父はあんまり多くを語りませんが「気がすむだけ休め」と言ってくれ、非常に私は気持ちが楽になりました。母は、朝私が学校にまた行かない様子を察知すると、まるでこの世の不幸が一度にふりかかったように"しおれた菜っ葉のごとく"がっかりして見せました。その様子を見て、私は学校に、行けないことよりも、母をがっかりさせてしまったことに、落胆し罪の意識にかられました。この二人の親が、休ませてくれた次の段階に、カウンセリングに連れて行くとか、精神科医に診せるとかして、私の社会性の改善策をとっていてくれたら……と今になれば思います。

コラム43 何が不安かを言えるようになりました （小3男子の保護者）

　うちの息子は小学3年生です。学校ではスピーチ、音読などのセリフの決まったこと以外はしゃべれません。家の外では、ほとんど声を発することがありません。分離不安がとても強い子です。2年生の頃は、学校に行きたくない日は、理由を聞いても「イヤなものはイヤ」「ママといっしょにいたい！」という感じだったのですが、3年生になってからは「今日はスピーチがあるから」「日直だから」「プールだから」と理由を答えてくれるようになりました。

　学校に行くのがイヤな理由をことばにすることで、本人もイヤな気持ちの正体がはっきりするので、自分の中で対処しやすくなったように思います。私のほうも、なぜイヤなのか理由がわかると、声かけがしやすくなりました。先日も、行き渋っている日がありましたが、理由はスピーチがあるからとのこと。「スピーチがイヤなら、日を変えてもらう？」とたずねると、少し考えて「がんばってみる」と登校しました。帰って来たときに「スピーチどうだった？」とたずねたら「大丈夫、ちゃんとできた！」とニコニコ笑っていました。日直がイヤな理由は、家に帰るのが遅くなるからだそうです。思わず、かわいいなーと、ぎゅっと抱きしめてしまいました。

　うまく説明できませんが、息子は2年生の担任の先生とのやりとりのなかで、少しずつ自分の不安をことばで表現できるようになったと感じています。2年生のときは、学校に行き渋って、お腹が痛くなったり、喘息（ぜんそく）の発作がでて、休んでしまう日がありました。そんな日は先生が電話を下さったり、私が電話をしたりして連絡を密に取るようにしていました。その中で、うちの子の場合、たいていがスピーチ、日直などがある日だということがわかってきました。

　それで、行き渋る日には「今日はスピーチあるの？」とか「日直？」「給食当番？」とたずねてみて理由に当たりをつけて、本気で嫌がっている日は無理強いせず遅刻して保健室で過ごすようにしたり、連絡帳でスピーチの日を変えてもらうなど、試行錯誤していきました。そうしているうちに、段々と息子と相談して乗り切れるようになってきたように思います。まだまだ、最近でも行き渋る日はありますが、お休みの回数はずいぶん減ったと思います。

第2章　対応

コラム44 遠回りでもいい（小4女子の保護者）

　学校に行けなくなり、不安が多すぎて自己嫌悪ばかりだった娘が、なぜ今は学校の行事を楽しいと言えるまでになったのか、本人に聞いてみました。

　「恐怖と不安で限界の学校⇒落ち込みと苦しみの不登校⇒元気な不登校⇒不安な週1日ペースの別室登校⇒1日おきの別室登校で、できることに挑戦の学校生活⇒自信がつき、楽しい毎日」。簡単に言うと、こういう心の変化があったそうです。

　無理に登校していたころは、恐怖、不安、頭痛、腹痛、吐き気でとても苦しく、不登校になってからも、体調が悪く昼夜逆転が始まり、睡眠障害や睡眠時幻覚でとても苦しい思いをしました。挫折感や自己否定のつらい毎日でした。夏休みに入り、学校へ休むという連絡をしないですむようになり、親子ともにずいぶん楽になりました。2学期になる前に、親子で次のような話をしました。
「学校を休みたい時は遠慮なく言おう」
「無理をせず、でも楽をしてさぼらない」
「学校に行けないあなたも、しゃべれないあなたも何一つ悪くない。全部受け止めた」

　それからは、休んでも落ちこまず、体調も悪くならず、元気な不登校児になりました。学校を休んでも、いっしょにいる私が落ち込んだり、悩んだりするうちは、全部子どもに伝わることを実感しました。「今、娘には不登校の時間が必要なんだ。体がボロボロになるまでたった一人でがんばってきたんだね。えらかったね。ゆっくり充電しようね」と私が心から思った時、初めて娘は夜眠れるようになりました。

　同時にイライラや絶望感もおさまり、学校に行く回数が増え始めました。登校できない日も、明日行くためのエネルギーを充電する日と明るく受けとめて、好きなことができるようになりました。エネルギーがたまると、前に進みたいという本来子どもがもっている意欲が、自然に出ることを学びました。学校では、今度は10あるうちの2をがんばってみる、明日は3つできるかもと、自分でできそうなことをがんばり始めました。授業は受けられないけれども、テストはがんばる、徒競走は無理だけれども、綱引きは出るといった感じです。娘がわがままと思われないかと私はとても心配しました。しかし、学校の理解と協力があったため、先生もお友達が100%娘のがんばりを認めてくれ、すごいな、すごいなとほめてくれるので、娘もどんどん自信がつき始めました。

　「この調子なら、明日からはみんなと同じように教室で勉強できるかもよ」と言うと、「そんなにあせっても急には変わらないよ。一歩ずつ進むわ」と娘に言われました。

　　　緘黙でもいい。不登校でもいい。
　　　不器用でも、友達が少なくてもいい。
　　　ただ恐怖なだけの学校にいって、学力がついたって、
　　　いい大学に行けたって、いい会社に入れたって、
　　　それが一体なんになる？
　　　そんなことよりも、今の緘黙と不登校という山を、
　　　いっしょにゆっくり登っていこう。
　　　先に何が待ってるか不安だけど、
　　　きっと、人の痛みがわかる心の優しい子に、
　　　困っている人の横にそっといてあげられる人間になれるはず。
　　　遠回りでもいいよね

■ 周りの人に理解を求めましょう

Q43…友達から「Aちゃんはなぜお話ししないの？」と聞かれてことばにつまります。

●周りの人からの問いにどう答えるか、あらかじめ準備しておきましょう。

　このような質問に気持ちが沈む保護者は多いようです。相手に悪気はなく、ただ知識がない場合や、協力したい思いがある場合がほとんどです。保護者が傷つかないようにしたいものです。英国のSMIRA（スマイラ）では次のような対応を薦（すす）めています（Knet資料No.11より）。

「Aちゃんは話せない」「どうしてAちゃんはしゃべらないの？」
　こう聞かれたらすぐに、軽く受け流しましょう。緘黙児の前で「恥ずかしがり屋の子ってよくいるでしょう」と言ってください。もしもっと説明が必要なら、「周りにたくさん人がいたり、自分の家じゃなかったり、お母さんがそばにいなかったりすると、おしゃべりしにくい子どももいるのよ」と話してください。家の中とか、家族といっしょにいるときはしゃべれるんだ、ということをはっきりと教えてあげましょう。そして、この子が学校でも安心して話せるようになればいいなと思っていること、どうすれば安心させてあげられるかいろいろと考えている最中なんだということを話してください。クラスでしゃべれるようになるといいな、と話しましょう。

「口が利けなくなっちゃったの？」「今日は話してくれるよね？」
　場合によっては、このような発言には取り合わないのが一番であることもありますし、「この子はちょっと恥ずかしがり屋なのよ」と言うのがよいこともあります。一方、親しい友達や親族には、子どもがいないところでしっかりと話し合う必要がある場合もあります。こんなふうに言われた後は、保護者が例えば「あんなこと言われても、困っちゃうよね」というふうに共感的なことばをかけてあげれば、子どもはとても安心するでしょう。子どもに同調してしまうのではなく本人がどう感じたのかを確かめ、きっとよくなるよ、安心しておしゃべりできるようになるよ、と元気づけてあげましょう。

コラム45　「しゃべれるよ！」って答えます。（小1男子の保護者）

　「どうしてしゃべらないの？」という質問にあったときは「しゃべれるよ！　今は、はずかしくて言えないだけで、そうじゃないときはしゃべるんだよ。おうちに遊びにおいで〜」と、言うようにしました。うちはセンターの教育相談を受けたときに、ことばカードを使ってみましょう、とアドバイスを受けて、息子といっしょにカードを作ったことがあります。「一番伝えたいことばを書いてみて」と渡すと1枚目は「はい、元気です」と書きました。これは、朝の出席のお返事のことばです。2枚目のカードには「いえるよ」と息子は書きました。「『本当はしゃべれるんだよ！』ということを息子はみんなに伝えたかったんだ！」と私はこの時に初めて知りました。「本当はしゃべれるんだよ」という気持ちを息子が伝えたいなら、私が代わりに伝えようと思いました。

Q44…ほかの人に何と説明すればよいでしょうか？

● 「望ましい対応」「してはいけないこと」に焦点を当てて、理解を求めましょう。

「家ではおしゃべりなんだけどちょっと恥ずかしがり屋なの」「話しかけられると嬉しいので、答えを期待せずに話しかけてね」と軽く話してもよいでしょう。親しい人には詳しく話し理解してもらっておくと協力が得やすいと思います。先生にも資料を見てもらい、協力してもらいましょう。先生から、ほかの保護者やクラスの子どもたちに話してもらい理解を求めることも検討しましょう（Q55参照）。

コラム46 お手紙渡しました（小1男子の保護者）

私は、説明するのは、かかわりの深い人だけでよいと思っています。協力していただきたい人とかかわりの深い人に以下のようなお手紙を作成し、いつもバックの中に入れて、持ち歩いていました。子どもに悟られないよう、その人にお知らせしたかったからです。まだKnet資料も出てない時期に作成したものです。

> 問いかけに対して、ことばや反応がなく、ご迷惑をおかけしています。息子は、場面緘黙（かんもく）という、軽い心の病気をもっています。話しかけに対して、答えたくても答えることができない、表面的には無視、無表情、無関心の態度をとることが多いですが、内心は喜んでいます。受け答えができませんが、今まで通りの接し方でご協力をお願いします。
> ●場面緘黙とは？…本来話す能力をもっているが、特定の場面や状況で、話すことができなくなる症状（自閉症、アスペルガーとは違います）
> ●発症率…児童の0.2%ぐらい
> ●対処法…さりげなく、あたたかく無視をしないで見守る。子どもたちや周囲の人とのコミュニケーションの中で自発的に声が出るのを待つ。
> ●やってはいけないこと…話すことを強要する。反応を要求する。話さないことを指摘する。
>   現在、Aセンターに通って、臨床心理士の指導と治療をうけています。今の息子に一番大切なのは、お友達との体を使ったコミュニケーションですので、いつもいっしょに遊んでいただいて、大変嬉しく思っています。お子さんへの息子のことに対する説明は、低学年ですので「お話をするのが、苦手だから」で、ご協力をお願いします。（A教育センターの指導より）

手紙に「病気」と書くことを随分悩みました。人によっては、「病気」という箇所を削除して渡しました。私がこのお手紙を渡した人は、結局4人でした。一番理解していただきたい人には、メールでより詳しく説明しました。

コラム47　入園後の自己紹介で説明（4才女子の保護者）

　うちの娘の場合は幼稚園に入園する前から、家では口は達者なのに、外もしくは家に来客があったりすると話さない状態でした。幼稚園入園したあとすぐの母親同士の集まりの自己紹介で、「家ではおしゃべりですが、外では恥ずかしいのか、全く話せないのです。でも意地悪で無視しているわけではないので、仲よくしてもらえたら、親子ともども嬉しいです。よろしくおねがいします！」みたいなことを言ったような気がします。そして最近「緘黙」ということばを知り、娘が仲よくしてもらっている、なおかつ私も話しやすい親御さんに「場面緘黙っていうのがあって、その症状はこうこうこうで、娘は場面緘黙だと思うんだ」と話しました。

コラム48　耳鼻科で仕方なく説明しました（小6男子の保護者）

　先日、息子が耳鳴りが気になると言うので耳鼻科に行き、こんなやりとりがありました。
先生「高い音？　低い音？」
息子（首をかしげ考え込む）
私「さっき聞いたら高い音だそうです」
先生「お母さんに聞いてない！　自分のことだろう？　高い音？」
息子（固まる）
　看護婦さんたちも、困ったねという感じでクスクス笑い。あらあらと思い、息子が検査に行った時に先生に、「息子は場面緘黙で精神科に通っています。そんなふうに畳みかけるように聞いてしまうと益々声が出なくなるので、すみませんが私が息子に聞いて状況を説明します」と言って理解してもらいました。やっぱり大きくなってくると、こんなことも自分で言えないのかと思われるんだなと改めて考えさせられました。あの耳鼻科にはもう行きたくない……。でもほかの耳鼻科が近くにないので、めげずに行きます。

コラム49　クラブでの配慮をお願いする（中3男子の保護者）

　保護者会長に連絡して、卓球部での配慮をいろいろとお願いしました。「そんなに心配しなくても大丈夫ですよ〜。うちの子も喘息気味で……」と、初め取り合っていただけない雰囲気だったので、あえて「場面緘黙」ということばを使って説明をすると、ただごとではないとわかっていただけたようでした。会長さんは、生徒の部長・副部長と話をする場を設定してくださいました。私のほうからは、今、部活動が楽しみで学校に来ることができていること、無理に話をさせようとすると学校に来れなくなってしまうことなどを話しました。会長さんは「○○君の苦手なところはみんなでカバーしていこう。部長のほうから、2・3年生に話をするように」と言ってくださいました。

■保護者の心の安定が大切です

Q45…Knet資料に、治療には専門家が必要とありますが、相談できる専門家が見つかりません。『場面緘黙児への支援』にある「支援チーム」は実際には難しいです。

　SMart(スマート)センター資料には、取り組みには「場面緘黙の治療を行なう力量のある専門家が必要」と書かれています。『場面緘黙児への支援』[4]には、「場面緘黙児の支援を効果的に進めるためには、家族、クラス担任、学校運営者、その他の専門家の協力が欠かせません」と述べられ「支援チーム」で取り組むことの重要性が書かれています。

　しかし、残念ながら日本では現在、場面緘黙の専門家がほとんどいないようです。また、日本で「支援チーム」を組むことはまだ難しい現状があります。海外で「支援チーム」が可能なのは、保護者と学校と専門機関が連携し協力しながら、子どもを支援していく特別支援教育の実践がすでに行なわれているためと思われます。例えば、米国では特別のニーズをもつ児童・生徒には、個々の子どもにあわせた個別教育計画（Individual Education Program：IEP）を作成することが法律で決められています。保護者の承諾のもとにアセスメント（心理査定）を行ない、障害が認められた場合、保護者、教員や特別支援教育専門の学校職員、外部の専門家などがチームで協力してIEPが作成されます。具体的な目標設定をし、有効と思われる指導方法を計画、そしてその成果を検討し、目標に到達していない場合は指導方法を見直して新たなIEPを作成します。

　日本でも現在、特別支援教育の理念が教育現場に広まり、推進されつつあります（Q20参照）。学校教育の中で、保護者と学校と専門機関の連携を進める具体的なシステムが、今後整えられていくことを期待します。しかし、私たちはシステムができるのを待っていることはできません。大切なことは、今子どもへの支援に役立ちそうなものをいかに上手に活用するかだと思います。

●専門家の役目は二つあります。一つは「指導者」、一つは「伴走者」です。

　お近くに、教育センターや児童相談所、クリニック、心理相談を開設している大学などはありますか？　スクールカウンセラーに相談されましたか？　「指導者」としての専門家は今の日本ではなかなか見つからないかもしれませんが、「伴走者」としての専門家は見つかるかもしれません。子どもにはお母さんという伴走者が必要ですし、そのお母さんを支える「伴走者」が誰か必要だと思うのです。誰かいっしょに走ってくれる人がいると、自分がどこをどう走っているのか理解できますし、次にどっちへ向かって走ったらよいかわかりやすいと思います。

Q46…親が落ちこんでいます。

●保護者の方の心の安定がとても大切です。

緘黙児との取り組みは長期戦、たいていアップダウンの激しい道のりです。そのため誰かに支えてもらう必要があります。場面緘黙理解のための資料を持って、スクールカウンセラーや医療機関や相談機関に相談されることをお勧めします。

コラム50 あせらず、ゆっくりが、モットー（5才男子の保護者）

子どもの性格にもよると思いますが、「今日はこれに挑戦してみる」と自分で計画を立てている場合は、できなかった時の落胆が大きいかと思います。緘黙児は感受性が高いので、母親の落胆もバレないようにしないと……。とにかく、あせらず、ゆっくりが、モットーです。

うちは自分で「今日はこんなことができるようになった」と言ってきた場合は、色々話を聞いてほめてやり、これはできなかったんだろうなという時は、さり気なく励ますようにしています。とにかく色々気にする性格なので、具体的に指摘されることを嫌がります。担任から何かできたと知らされた時は、それとなく「よくがんばったね」とほめてあげたり、「最近こんなにたくさんのお友達と話せるようになったね」と表を書いてあげたりする程度かな。あんまりがんばりすぎると期待も大きくなって苦しいので、少し気を抜いてのんびりすることも必要かもしれません。

コラム51 ウェブ上の掲示板で励まされて（高1女子の保護者）

幼稚園で緘黙となり、中学で登校拒否になった娘ですが、掲示板でたくさんの方たちに励ましや勇気をいただいて、この春に高校へ進学しました。

高校進学に当たっては、自分の不安を理解できたことで、必要以上に悩むことがなくなり、周囲に理解され見守られるなかで、新たなスタートを切ることができました。おかげ様で不安は低くなり、会話にも問題がなくなりましたし、毎日をとても生き生きと過ごせるようになりました。

娘が中2の頃は、不登校になったことをどうとらえてよいのかわからず、なぜ学校でのコミュニケーションが苦手なのか、なぜすぐに不安が大きくなってしまうのか、わからないまま、家族も本人も、孤独と不安の中で悶々としていました。

中3の夏、海外のサイトや「場面緘黙症Journal」[20]サイト、そしてKnet資料に出会うことができ、やっと今まで不思議に思っていたことが理解でき、大きな胸のつかえが取れた気がしたものです。

子どもは、今までのことは自分のせいではなく、一人で問題を抱え込まなくてもよいとわかり、肩の荷がおりたようでした。周囲に理解され、対応が変わるにつれて、徐々に安心し、自信を取り戻していくことができたようです。また、その過程で、美術という自分の進みたい道を見つけ、目的をもった学校生活を送りたいという強い気持ちをもつことができたことも、本人にとって大きな力となりました。

まわりの人間が子どもを理解し、また、子ども自身が自分の問題を正しく理解でき、対処していけるように手助けすることが、こんなにも子どもの力を引き出すものかと、大変驚いています。

第2章 対応

コラム52 母親への支援がもっと欲しい（高1女子の保護者）

　専門家や学校で理解が得られにくい現状を考えると、今の段階で「介入、治療」ということは、実際大変なことなのではないかと感じます。個々に応じた対応策を、実際に会って相談できる人がいない状況で、母親が対応を焦ることは、いろいろな面で無理が生じやすいということを実感しました。理解の少ない中、母親が、一人きりでそれを背負い込んでしまうことが多くなりがちで、大きな精神的負担から、中には病気になってしまうこともあるのではないでしょうか。実際、私も精神的に限界を感じ、具合が悪くなってしまった時期があります。

　理想的な対応をするには、母親への支援が少なすぎるのです。1から説明しなければならず、誤解もされやすい、また、子どもが不憫だと落ち込みやすい。そのことへのサポートがないのが現状ではないでしょうか。このような状況を考えると、十分とは言えないまでも、「焦らず、基本をふまえながら、子どもを温かく見守っていくこと」「長期戦覚悟で、子どもを理解し、よいところに自信をもつこと」などのように、「長い目で見て、よい方向性をもつこと」を、まずはじめのスタンスとした方がよいのではないかと感じます。

コラム53 どうか、一人でがんばりすぎないで（小1男子の保護者）

　「不安となる要素を減らす」「安心できる状況を増やす」

　これは、子どもだけでなく、お母さん自身にも言えることだと思います。子どもを導くお母さん自身が安心できる環境を整える方にも目を向けるべきでは、とつくづく思います。お母さんひとりが「私がなんとか導いて助けないと！」とがんばりすぎると、それを持続するために、どこかにそのしわ寄せができてしまいます。

　お母さんが、誰か信頼できる人といっしょにつらい気持ちや嬉しい気持ちを共有しながら、お子さんとかかわれたらいいですよね。お母さんが、お子さんのことで不安な気持ちを専門家やそばにいる人に吐き出すことができる、そして心から信頼している人からのアドバイスを受けられる、これが1番望むことと思います。

　私も心から信頼できる人、相談できる人がいたので、ここまでやってこれたような気がします。そして、これからもその方たちにささえられながら、がんばっていけると思います。人を（お子さんを）ささえること、人にささえられる安心を知っている人は、根っこの部分が強いと思います。何があっても揺らぎにくいと思います。どうか、一人でがんばりすぎないで。

2－B　先生方へ

■先生と子どものコミュニケーションを大切にしましょう。子どもに話しかけること、そして非言語的コミュニケーションをまず促進させましょう。得意部分を認めて、さりげなくほめてあげてください。保護者に、先生と子どもの間で「橋渡し役」をしてもらい、間接的なコミュニケーションを促進させましょう。
■不安を減らし、自信を育てましょう。不安の少ない学校（園）環境が重要です。子どもの自信を育てるためには、「学習面での配慮」（園では「効果的な遊び」）や「友人関係のサポート」など様々な対応が必要です。緘黙児の治療や取り組みは、学校の協力が不可欠です。
■クラスの理解を促進させましょう。
■不登校やいじめに注意しましょう。

■先生と子どものコミュニケーションを大切にしましょう

Q47…緘黙児への接し方は？

●子どもに話しかけましょう。

　先生が自分に関心をもってくれていることが、子どもはとても嬉しいようです。子どもが話さないことを、先生はちっとも気にしていない様子で、答えや反応を求めず、さらりとした接し方をして下さい。トイレに行きたかったり、体調が悪かったり、けがをしたりしていても知らせることができずに我慢している子どもがいます。先生の方から、困っていることがないか気を配ってあげて下さい。次のようなことに気をつけます。

(1)　目を見つめません
・目を見つめたり、じっと注目すると子どもは緊張します。
・向かい合う位置ではなく、体をなるべく同じ向きにします。
・子どもの安心感を確かめながら、少しずつアイコンタクトを増やしていきます。
・スキンシップが嬉しい子どももいますし、怖く感じる子どももいます。

(2)　非言語的コミュニケーションを促進させましょう
・質問するのではなく、その時起こっていることを説明したり、先生がしていることを説明したり、子どもができることを見いだして、さりげなくほめてあげましょう。
・「～なんじゃないかな」「～みたいに見えるね」「～だと思うけど」と、相手の返答をうながしながらも、必ずしも返事をしなくてもよい言い回しを使います。
・言語を使わないコミュニケーションを奨励しましょう。うなずいたり首を横に振った

第2章　対応

りすれば返事できる質問、選択肢を示して子どもが指差しで答えられる質問を工夫しましょう（Q48参照）。指サイン、指文字、筆談などをうながしていきます。子どもが言いたいことをメモ帳に書いた「ことばカード」を用意しましょう。

・家からお気に入りのおもちゃや描いた絵を持ってきてもらい、見せてもらいましょう。
・先生との交換ノートや友達との交換日記を提案してみましょう。
・非言語的コミュニケーションが十分にできるようになってきたら、そこにとどまらずスモールステップで言語的コミュニケーションをうながしていきます。

(3) 指示は具体的に、視覚的な手がかりを示して

・働きかけや指示は、具体的でわかりやすいものにします。漠然としたことばや曖昧な言い方は子どもを不安にさせます。
・緘黙児の中には、ことばの理解が難しい子どももいます。子どもの発達にあわせて、明瞭な発音、簡潔な文でのことばかけをしましょう。
・ジェスチャーを使ったり、メモや写真、具体的な物を見せながら話すなど視覚的な手がかりを示すようにしましょう。

(4) 保護者と協力しましょう

・保護者に、子どもとの間の「橋渡し役」をしてもらいましょう。子どもの言いたいことを保護者から伝えてもらい、先生と子どものコミュニケーションを促進させていきましょう。
・保護者や友達を「橋渡し役」にした間接会話をうながしましょう。（第3章⑥参照）

コラム54　答えを求めず、話しかけることから　(中3女子の保護者)

　小4の時の担任は、「いったいどうしたら、クラスでお話ができるようになるだろうか？」と考えて下さり、「はじめはお友達とは話せなくても、もしかしたら自分となら話ができるかもしれない」と考えたのだそうです。そして、1日に1回か2回は必ず先生の席のそばに子どもを呼んで、話しかけて下さいました　話の内容は、例えば「○○ちゃんっていい名前ね、私の親戚にもいるけれど、とてもいい子よ」といった名前のことや、子どもは席でよく絵を描いていたので「○○ちゃんは、絵がとても上手ね」などなど。毎日必ずそのような時間をもって、ほめたり、優しく接してくださったそうです。そのうち子どもは先生に小さな声でお返事したり、話したりするようになったそうです

　また、特に女の子のグループができ、派閥のようになって悪口を言い合う年頃ですが、先生は学年のはじめに「私は仲よしグループというものは嫌いです」とはっきりおっしゃり、個々の考えや行動を大切にする方向性を持たせて下さっていました。みんなと同じでないと仲間はずれにされてしまうとか、ひとりでいるのはおかしいのだとか、そんなふうに思わなくてすんだのは、うちの子にとってとても気が楽だったことでしょう。

Q48…子どもが答えやすい質問の仕方は？

　子どもができること、好きなことの情報を集めて、話題にできるようにしておきます。返答しやすい質問から始め、子どもの反応を見ながら徐々に進めていきます。次のことに気をつけましょう。

● 「選択肢を選ぶ」→「一言ですむ答え」→「長い答え」に進める。
● 選択肢の幅が多いものや自由度が高いものは難しい。
● 「どんなふうに」という質問、気持ちを聞く質問は難しい。

①子どもに興味を示し、声をかける。または交換ノートに書く。
　　（例：○○さんの絵、うまく描けてたねえ。先生は雲が綿菓子みたいな感じが好きです）
②yes-noで答えられる質問
　　（例：今日の給食ではプリンが出たよね。先生はプリンが大好き。○○さんは給食のプリンを全部食べましたか。　1 はい　2 いいえ）
③閉じた質問（closed question）：答えが１つの質問・選択肢付き
　　（例：タイコとカスタネットどちらが大きな音でしょう。　1 タイコ　2 カスタネット）
④閉じた質問（closed question）：答えが１つの質問・選択肢なし
　　（例：先生の犬の名前はポチです。○○さんの家の犬は、何という名前ですか。）
⑤開かれた質問（open-ended question）：答えの可能性が複数ある質問・具体例付き
　　（例：応援してるサッカーチームはありますか。例えば○とか○とか○とか……）
⑥開かれた質問（open-ended question）：答えの可能性が複数ある質問・選択肢なし
　　（例：○○さんはSMAPが好きなんだってね。先生もSMAPのファンです。SMAPのどのへんが好きですか。）

コラム55　どう答えたらよいか迷った時の答え方

　緘黙児の中には迷った時の答え方がわからず困る子どももいます。答えの選択肢に入れておきましょう。子どもにいくつかカードに書いて、パターンを教えることが有効な場合もあります。

【答えられない時】　「ちょっと、わかりません」「どう答えればよいか迷います」
　　　　　　　　　「ちょっと言いたくないです」
【答えたいけどすぐには答えられない時】　「そうですね～」「もう少し時間をください」
　　　　　　　　　「また今度、話したいです」
【正確にはわからない時】　「だいたい～くらいです」「～かなと思います」
　　　　　　　　　「たぶん～だと思います」
【その他】　「どちらでもないです」「どちらかといえば～です」

■不安を減らし、自信を育てましょう

Q49…学校や園の先生が、まず最初に気をつければよい点は？

(1) 教員間の共通理解

担任の先生だけでなく、全ての職員に正しい理解と対応について情報が行き渡るようにしましょう。子どもは、「わざとそうしている」「わがまま」なわけではありません。「親が甘やかしている」「家庭に問題がある」「愛情不足」が原因ではありません。園では、子どもに声をかけ様子を見る先生を1人担当にすることが望まれます。子どもはことばを発しないために、不安なまま放っておかれがちです。

(2) トイレ

緘黙児には学校や園のトイレが怖くて行けなかったり、排尿できない子どもがいます。入園入学前に、慣らしておくとよいでしょう。遠足や宿泊なども事前に保護者とよく相談しておきましょう。授業中はもちろん、休み時間にもトイレに行けず、水分を全く取らずに我慢していることがあります。担任が声をかけてあげると、行きやすくなります。また他児から笑われたりしたことが大きな失敗体験になることがあるので注意が必要です。

(3) 給食

教室で皆といっしょに給食やお弁当を食べられない子どもがいます。決して無理強いせず、席を工夫したり、別室で友達と食べさせるなどの配慮が必要です。

(4) 着替え

恥ずかしくて人前で着替えることができない子どももいます。別室、または教室の隅など、安心して着替えができる場所があればと思います。

(5) 座席の位置やグループ分け

教室内では友達関係も考慮に入れて、安心できる位置に座らせると、授業を受ける際の不安レベルがかなり違ってきます。子どもによって安心できる席の位置は異なりますが、教室の隅やドアのそばでないところ、みんなの視線がいきにくい席が安心できます。グループで行動する場合は、できるだけ安心できる友達といっしょにしたり、困っていることがないか、先生がこまめに気を配ることが求められます。

(6) 予定表

緘黙児は不安になりやすく、新たな変化に慣れるまでに時間がかかります。あらかじめ予定をわかりやすく紙に書いて示してあげましょう。特に行事には準備が必要です。

Q50…幼稚園や保育園、小学校低学年でできることは？

(1) 遊びを工夫しましょう

・ほかの子どもとペアや小さなグループにして、相互交流遊びをうながします（Q68参照）。うまくやれているか目を配りサポートしましょう。
・楽しい雰囲気で、思わず笑い声がもれるような遊びが適しています。
・ブーンブーンと車のおもちゃの音を口まねしたり、動物の鳴き声をしたり、話に効果音をつけるなどして遊びましょう。
・にぎやかに騒げるようなゲーム、手拍子や足踏みをしながら単純なリズムが多い歌やかけ声、動作がついているものが適切です。全員が声を合わせての決まり文句の多い絵本や数かぞえに、少人数グループで参加させます。
・緘黙児は口の周りが緊張しやすいようです。口で吹く活動（例えば、ろうそくを吹き消す、ストローでピンポン玉を吹く、シャボン玉遊び、風船をふくらませる、笛など）を取り入れましょう。
・打楽器を交互に打ち鳴らしてコミュニケーションをとる遊びや楽器を鳴らしながら行進する遊びもよい効果が得られるようです。
・絵本を読んでページを子どもにめくらせる時は、緘黙児を前の方に座らせて、子どもがやりやすいようにしてあげましょう。
・絵などの芸術的表現が好きな子どもがいます。自己表現をうながしてあげましょう。子どもの作品に関心をもち、よい点をことばにして返してあげましょう。

(2) 友達関係のサポートをしましょう

・親しい友達や家で話すことができる友達と、同じクラスにするようにしましょう。世話好きな子どもよりも、おとなしく協調性のある子どもの方が適切です。グループ分けや座席もこの友達といっしょにいられるように配慮しましょう。

(3) 保護者と協力して、様々な取り組みを行ないましょう

・家庭訪問して子どもと仲よくなりましょう。おもちゃを見せてもらったり、絵本を読んであげたり、おやつを食べたりする取り組みは、子どもを安心させるのにとても役立ちます。
・保護者と子どもが、放課後や休日や早朝、誰もいない学校や園に来て楽しく遊ぶ取り組みは効果的です。はじめ先生は同じ部屋でほかのことをしてもよいでしょう。安心して遊べるようになったら、少しずつ先生が加わります。一番仲よしの友達と遊んでもよいでしょう。

Q51…小学生以上の子どもへの対応は？

　できるだけ「不安の少ない環境」を整備することだけではなく「学習面での配慮」と「友達関係のサポート」をすることが大切です。次のような点に気をつけましょう。

(1)　不安の少ない環境を整えましょう

・座席の位置を検討します（ほかの生徒から見られにくい、プライバシーが守られた位置。グループ形式の場合は仲のよい子を横位置にする。人と目を合わさない机の向きにするなど）。
・大きな行事や予定は前もって知らせ、どのように取り組みたいか保護者を通して話し合いましょう。教師が本人とメモ交換などで、本人の希望を確認する方法がとれると、よりよいでしょう。
・安心できる小グループでの活動の機会を多く用意しましょう。
・体を動かすと緊張がほぐれる場合があります。

(2)　学習面で配慮し、自己評価を高める工夫をしましょう

・クラスの係を何か任せます（例えばクラスのノートを職員室に持っていく、先生のメモを渡す係など）。
・得意なことを認め、活躍できる場をもうけてあげましょう。スポーツ・工作や絵・音楽などが得意な子どもがいます。
・学習面で不利にならないよう、評価できる別の方法がないか保護者と共に模索しましょう（例えば、自宅でテープやビデオテープを録音録画したものを先生が見る、電話やコンピュータを使用する、別室や別の時間の評価など）。
・レポートや美術の作品など、学校でできなかったものは、保護者と相談して家庭に持ち帰りを勧めましょう。はっきり伝え、場合によっては期限の猶予を考慮しましょう。

(3)　友達関係をサポートしましょう

・いじめ、不登校に注意しましょう。友達との交流が促進されるよう、サポートが必要です。気の合いそうな子が同じクラス、同じグループになるよう配慮します。おとなしくて協調性のある子どもが適切です。
・クラスで人権教育を行なう中で「人はそれぞれ違いがある」ことを日頃から教えます。
・子どもの状態についてクラスで説明することを、保護者と検討しましょう（Q55参照）。
・学習やソーシャル・スキルについての特別支援が必要な場合があります。

Q52…出欠の返事や発表で声が出ません。

●緘黙児が目立たずに参加できる方法を工夫しましょう。

(1) 出欠の返事

名前を呼んで返事ができないときは、次のような工夫をしてみましょう。

- 「ニコニコ顔」「うなずく」「先生の方を向く」「手を挙げる」などことば以外の方法で、返事することを認めます。
- クラス全員に、動作をつけて「動物の鳴き声」をさせて出欠をとると、うまくいくことがあります（幼稚園・保育園）。
- 当番の子どもが、名前を呼ばれた子どもの所に行って握手する方法もあります。
- 子どもの状態によっては、短いことばや、動作を伴うようにする、出席番号を言わせるなど工夫をすれば、声が出る子どももいます。
- ガヤガヤした部屋で先生がそばに行くと声が出やすい子どもがいます。
- 班で出欠をとると、声が出る子どもがいます。

(2) 授業中やクラスでの発表

- 緘黙児が目立たない発表形式を、クラス全体でとれないか検討します（例えば、班の代表が読む方法、一人ずつ教師の机の所に来て発表させる方法など）。
- 保護者と学校の連携がとれているなら、前もって子どもと打ち合わせをしておきましょう（例えば、声が出ない時は5秒待って「じゃ、また今度してね」と言う方法、音読するかどうかたずね「心の準備ができたら読んでね」と言う方法、質問して該当箇所を指さしさせる方法、子どもが書いた物を先生が読む方法など）。

(3) 劇や音楽会などの発表

- 劇はほかの子といっしょにセリフを言ったり、簡単で大きな動作を伴うようにしましょう。セリフではなく歌にする、楽器をさせるなど工夫しましょう。
- パペット（指人形）を使った人形劇にすると、人形にしゃべらせることと、スクリーンの後ろにいることで緊張が少なくてすみます。
- 顔にお面をつけると、不安を減らせる場合があります。
- 年令が上の子どもは、シナリオや大道具、音響などを担当させ、活躍の場を与えます。
- 行事参加が難しい子どもがいます。不安がとても高い時は、別室での異なった役割をもたせましょう。
- 音楽会の練習は声を出さず口の形を作るだけでも、緘黙児にとっては大きな進歩です。

コラム56 かけ算の発表 (小3女子の保護者)

　娘が小2の時、担任の先生がいい先生でした。かけ算の授業で『九九』を覚えて、先生の前で暗唱するテストがありました。娘は学校で声が出ず当然できないので、先生から『お家でお母さんが聞いてあげて、ちゃんとできればよいことにしましょうね』ということにしてくださいました。だから、家で私が聞いてあげて、ちゃんと言えていれば、『できました』と連絡帳でお知らせしていました。

　翌日の算数の授業「『六の段』できる人？」という、先生の問いかけに、数人しか手をあげないのに、なんと娘も手を上げたそうなのです。娘としては、『家でママの前でちゃんとできたもん』という認識があったんだと思うんですが（そういうところはすごく律儀なので）、「『六の段』できる人」で手を上げた数人は、立って一人ずつ発表することになっているのです。娘の番に先生は、クラスのみんなに向かってこう言ったそうです。「みんなで、○○ちゃんになったつもりで言ってみましょう」。そうすると、クラスのみんなが娘の代わりに、発表してくれました。発表が終わると、娘はニッコリと満足そうに座ったんだそうです。嬉しかったと思います。

コラム57 緘動の子どもに先生がしてくださった対応でよかったこと (小5男子の保護者)

4年生

〔クラスの子どもの意識改革〕小1から緘動と緘黙があります。クラス替え直後から先生は「みんな違っていい。違って当たり前。それぞれの個性を認め合えるクラスにしていきたい」ということを明確に子どもたちに伝えて、話したり、動いたりできないでいる子どもの個性を認める雰囲気作りをしてくださった。目や表情で十分「会話」できること、「自分のペースでちゃんとできるのだから必要以上に手を出さない。どうしても必要な時だけ手助けすればいい。息子のペースで行動させてあげて欲しい」ということを子どもたちに伝えてくださった。

　⇒自分のペースで物事を処理して、時間がかかっても自分でこなすようになった。

〔給食は親しいお友達と別室で〕人目を気にして給食を思うように食べられないので、給食を別室（教室の隣の理科室）で、気を許しているお友達2人もいっしょに食べるように配慮してくださった。

　⇒自分のペースで食べれるようになり、今までと全然違う息子の姿が同級生に伝わり親近感をもってもらえるようになった。やっと給食が食べられるようになって、お腹がすくのを我慢しなくてよくなった。友達二人の会話からゲームを知り、自分も共通点が欲しく、このゲームを購入。それがきっかけでほかの子も息子に話しかけてくれることが多くなり、うなずいたりしてコミュニケーションをとることが増えた。

〔不安な授業は別室で先生のお手伝い〕3年生でリコーダーを吹くまで教室に返さないと強要されることの多かった音楽の授業に『出なくてもよい』と仰ってくださった。その代わり、音楽の時間は『クラスの皆の為になることをする』という約束でプリントの配布などをして先生の手伝いをした。

　⇒音楽に出ないことで心が開放され、学校に行くのを嫌がらなくなった。クラスメートがいなければ緘動ではないのだ、ということが学校側に伝わった。校内で先生と二人きりになる時間が確保できさらに信頼が深まった。

〔「～しなければならない。学校ではこうあるべき」という思いこみを取り払う〕音楽に出なくてよい。給食は別室で。どうしてもつらい時は休んでもよい。誰もが授業中でもトイレに行ってもよい。

　⇒息子の心の中で学校ではこうあるべきと思っていた概念がだいぶ取り払われた。

〔提出物についての配慮〕緘動であるため学校では何もできていないが、図工の作品、社会科新聞、理科の観察など、提出を強要されないこと。

5年生

〔テストは場所と時間を工夫する〕スポーツテスト（体力測定）について息子の希望を聴き、要望通り早朝、ほかの子が登校する前にやってくださった。結果はほとんどできなかったが、挑戦しようと思ったこと、ちゃんとそれを実行に移して学校に早朝来たことをとてもほめてくださった。
⇒すべてができなくても自分にできる少しずつのことでも挑戦すればよいんだ、と気付けた。先生に認めてもらえたことで、次回もがんばってみようと前向きに考えるようになった。

〔授業方法を交換日記で子どもと相談〕算数は先生が手を添えて、いっしょに問題を解いてノートに書いてくださる。体育も先生、または友達の手を借りながらいっしょに参加する。着替えは皆より遅れて一人で着替えることを認めてくださる。緘動で動くことがままならない息子のために寄り添って特別な配慮をしながら、「できること」を増やしていくよう協力をしてくださった。
⇒やりたくてもできなかったことに参加できるようになり授業が少し楽しくなったように思います。

〔学校全体の理解と協力体制〕『君ができるようになるためには協力を惜しまないよ』という姿勢をはっきり子どもに伝えてくださった。学校全体が緘黙、緘動であることを理解し、協力体制を築いてくださっていることが今一番嬉しいことです。特に担任の先生にはかなり手をかけていただいていますが、その協力あってこそ、息子の進歩に繋がっています。緘動がひどい場合は、先生が手を添えてやってくださると子どもも動きやすくなるのではないかと思います。

コラム58 特別扱いをしていると見えないように、特別の配慮をする （中3男子の保護者）

学校に行きにくかった中1の一番大変だった時期に、担任の先生がしてくださったことを次に書いてみます。

①**先生の方からこまめに連絡**をいただけたので、私から息子の気持ちを伝え、お願いをすることが容易でした。少しでも息子の負担になりそうな活動を予定している時、また、そのような出来事があった時、先生は電話または手紙で、学校での詳しい状況を伝えてくださり、先生の方から「Ａ君、お家ではどんな様子ですか？」とたずねてくださいました。そのため私も息子の様子を伝えやすかったです。先生は学校での詳しい状況を話してくださり、私は家での息子の様子を電話やお手紙でお伝えしました。「何もわからないので、お母さんの方からいろいろ教えていただけると助かります」と言ってくださる先生でした。

②先生が子どもに何か伝える時は、**紙に書き出して手渡して**くださいました。息子は、「課題の全体像がわからないと納得して取り組めない」「予定が目で確認できる形で手元にないと不安になる」という傾向があります。また、耳から入る情報量が多すぎると処理しきれなくなるところがあり、特に緊張しているときにはその傾向が強くなります。自分で聞き返したり、その場でメモするということができません。1日の予定などは箇条書きにし、ちょっとしたメッセージを添えてくださったので、息子はそれを家に持ち帰り、私と話題にして確認しあうことができました。中学生なら、先生が言ったことを自主的にメモすることが要求されて当然です。しかし、普通はできることが、すぐにはできない子もいるということ、大人のちょっとした配慮で適応できるようになるということを、しっかりと理解してくださる先生でした。

③文字によるコミュニケーションを図るために、生活記録表に日記を書き込む欄を設け、**子どもの日記に対してコメントを毎日書いて**くださいました。クラス全員になので、先生の負担は相当なものだったと思います。親の方から何か先生にお伝えしたい時は、そこに付箋を貼って連絡したり、先生から電話をいただけるようお願いしたりしました。このような積み重ねがあったからこそ、息子は「担任の先生となら話してもいい」という気持ちになれたのだと思います。

④息子の**自己評価を高めるメッセージを送り続けてください**ました。朝、不安から家を出られず、遅れて学校へ行った時も、「がんばって学校に来てくれて、先生も嬉しいよ」と笑顔で迎えてくださいました。日記にも、「がんばっているね。嬉しいよ～！」などのコメントがたびたび書き込まれていました。

⑤**席替えを工夫し、班編成に気を配って**くださいました。また、着替えの際に、安心できる生徒にいっしょにいてくれるよう頼んでくださったり、昼休みなどは先生ができるだけ教室にいて、目を光らせてくださいました。学校生活に慣れるまでは、苦手な生徒との接触をできるだけ避けて、いっしょにいて負担にならない生徒を配置してくださいました。

⑥「**人権教育**」に力を入れてくださいました。「みんなそれぞれ、得意なことや不得意なことをもっている。みんなが違っているのがあたりまえ。一人ひとりをありのままに認め合える仲間になろう」といった話を折に触れてしてくださいました。ときどき教室で過ごせず保健室に避難する息子のことを疑問視する生徒が出てきた時、個別に呼んで、「体調が悪いにもかかわらず、がんばって学校にきている」と話してくださいました。

⑦**子どもの状態を生徒に説明**してくださいました。「『あ』って言ってみて」攻撃が出てきた時や「○○君はどうして話さないの？」という生徒たちの単純な興味に対して、私に確認をとった上で、「２度の転校でつらい思いをしたこと。転校によるトラウマのせいで、今は話すことが苦手なこと。すごくつらい思いをしているのだから、今はそっとしておいてほしいこと」を、本人のいないところで、男子全員に、また必要に応じてクラス全員に話してくださいました。

⑧息子のための特別な配慮が必要な時も、**特別扱いをしているように見えないようにする方法**をとってくださいました。例えば、入学式の後、どのクラスでも保護者のいる前で全員に自己紹介をさせるのですが、うちのクラスは紙に各自目標や自己ＰＲを書かせ、先生が全員分を読み上げるというものでした。また、班長や委員を決めたり、話し合いで何かを決める時は、全員の名前が書かれたマグネット板を用意し、それを黒板に貼るやり方でした。できるだけクラス全員に同じやり方をさせることは、息子に劣等感を抱かせないため、また、ほかの子どもたちに不公平感を抱かせないために、特に重要なことでした。

Q53…これをやると症状が悪化するということはありますか？

　子どもはとても感じやすく繊細で、先生のちょっとしたことばや態度に多くのことを感じ取ります。先生の対応は、子どもの症状に大きく影響します（Q31参照）。

●緘黙児に接する先生は、細やかな感受性が求められます。

コラム59 先生の「強要、人格否定、心理的脅迫」で緘動がひどく （小5男子の保護者）
　息子は入学時は給食も食べていたし、授業参観で前に出て小声ながら発表することもできていました。入学後、日を追うごとに給食を食べなくなった息子に、イライラした先生はある日こう仰いました。「あなたのために○○学級（特別支援学級）の先生を呼んであげたから。今日からはその先生と食べなさい。それでも食べないなら○○学級に行って食べれば？」「一人で食べれないなら、お父さんの会社に電話して食べさせに来てもらうから。それでもいいの？」。脅迫されれば食べるということはなく、むしろ余計に食べなくなりました。それ以来「僕はちゃんとできないから○○学級に入れられるの？」とおびえるようになりました。先生は私にも「お母さんの躾がなっていないから返事ができない」「食べないで帰る子におやつを食べさせるからダメなんです。家で与えなければイヤでも給食を食べるようになるはずなんです」と言われました。
　その給食でつまづいたことがきっかけになり、どんどん自信をなくした息子は、動きがさらに鈍くなってしまいました。そんな息子に先生は「同じことは3回も言わせないで。言われたらすぐ動いて」「どうして君はそんなにできないの？」と言い続けました。さんざん人格否定をされて緘動がひどくなり、学年の最後の方には、名前ではなく物扱いまで受けるようになっていたそうです。
　息子が出した答えは「やろうとしても早くできなくて怒られる。僕はダメな子なんだ。僕みたいなダメな子は、もう何もしない方がいいんだ。がんばっているのに怒られるなら、学校で動かない方がいいんだ」だったそうです。息子がこんな気持ちを私に話してくれたのは、ずっと後になってからでした。動かなくなってしまった後は、もう動きたくても「動けない」状態に陥っていきました。「せめて動けないでいる時は声かけをしてください」と先生に勇気を出してお願いしたら「お宅のお子さんだけ声をかけるなんて特別扱いはできません」という答えでした。

コラム60 先生、勝手な解釈をしないでください （6才男子の保護者）
　私が緘黙症のことを知る以前に、仕事で息子を小学校に迎えに行けなくて、親友のお母さんにお迎えを頼んだことがあります。この時、息子は大泣きして、親友のお母さんと息子の担任はもちろん、親友の担任も困らせました。友人宅に迎えに行ったら、いつも通り楽しく遊んでいたのですが、あとから色々聞いて驚きました。先生たちが息子のいる前で、「どうしてしゃべらないのかしら？」「この子、友達がいたのね。友達やそのお母さんとはしゃべれるのね、不思議だわ」などと、言っていたらしいのです。緘黙児はしゃべれないからといって、耳が不自由な訳でも、口がきけない訳でもありません！
　こんな経験があるので、緘黙児の保護者の方々には、積極的に学校に働きかけて、先生たちが勝手な解釈や判断、指導をしないように注意して欲しいと、切に思います。人一倍傷つきやすい緘黙児のこと、ちょっとしたことがきっかけで、症状が悪化したり、学校に行けなくなることもありえます。

Q54…母親となかなか離れられません。

●入園入学前から、場所や先生に慣れ、友達と顔見知りになるなどの準備が望まれます。

　緘黙児は不安のために母親となかなか離れられないことが多いようです。行動抑制の強い子どもは、赤ちゃんの頃から新しいものに対して強い不安を示すことが多く、何かに慣れるのにとても時間がかかります。このタイプの子どもは入園や小学校入学時に分離不安が高まり、場面緘黙を発症しやすい状態になると考えられます。

　親子関係を問題視し、「過保護」「甘やかしている」などと注意する教師がいますが、このような方法は問題解決になりません。母親がいっしょにいてあげて少しずつ離れる時間を延ばしていく方法、朝誰もいない時間帯に保護者と登校する方法、保護者が早めに迎えに来る方法などを検討しましょう。母親の都合で離れなければならない時は、子どものお気に入りや母親の代わりになる物を子どもに残す方法もあります。海外の支援団体や治療機関は、緘黙児の不安を和らげるために様々な方法を薦めています。日本の教育現場でも、柔軟に対応したいものです（Q42参照）。

コラム61　分離不安が強い娘の場合 （小3女子の保護者）

　娘は私との分離不安が強く、今も毎朝私が教室まで付き添って登校しています。入学後2週間程は、私がお友達の家まで付き添い、そこで私と別れてお友達と2人で登校していました。ところがそのお友達が、おたふくで1週間学校をお休みし、その日から私が学校まで付き添わないと登校できなくなりました。緘黙になったのは小1の3学期です。国語の時間に、グループで話し合いのようなことをしていた時に、ある男の子に「なんでしゃべらないんだ！」というようなことを言われたそうです。緊張すると話せず固まってしまうようなところがもともとありましたが、この時までは先生やお友達と学校でお話していました。その日は、給食も食べずに泣いて固まってしまい、翌日から「学校へ行きたくない」と朝泣いて拒否するのを、1週間引きずって連れて行きました。その後、朝の抵抗はなくなったのですが、学校で話せなくなりました。

コラム62　「守ってばかりいてはよくない」と言われましたが…… （中3女子の保護者）

　5、6年の時は、若い男の先生が担任でしたが、「高学年なのだから自分の意見を言えるように」「守ってばかりいてはよくない」というような考えをもっていらっしゃいました（場面緘黙でなければ、それはよいやり方なのかもしれませんが）。子どもはよく頭が痛くなったりして、はじめのうちは、何度も保健室にお世話になっていました。あの頃から、私が場面緘黙のことをきちんとわかっていてあげられたらよかったのですが。「自立」「しっかりしよう」などとは言っても、理解され、安心できなければ何かにチャレンジできません。

■クラスの理解を促進させましょう

Q55…クラスの子どもに、子どもの状態について何と説明すればよいでしょうか？

　子どもの年令や性格、クラスの子どもたちの状況によって、話し方は異なってきます。どのように話せばよいか保護者と相談しましょう。幼い子どもなら「Aちゃんは、お家ではとても上手にお話しできるんだよ」「なれるのにもう少し時間がいるだけだよ」「みんなも、なれるのに時間がかかることあるよね」などと話していきましょう。

　クラス全体に話す場合、①人はそれぞれ異なること（例：あなたはどんな時ドキドキしますか。ドキドキする場面は人によって違います）、②友達を理解する（例：Aちゃんはドキドキしない場面では話せます）、③してはいけないことと望ましい態度（例：こんなふうに言わないで下さい）を中心に話します。子どもによっては、自分のことを話題にされることを怖く感じる子どももいます。子どもがいない時に話してもらったり、言い方を工夫しましょう。教師と保護者で打ち合わせをする際、かんもくネットのサイトにある啓発資料「クラスで場面緘黙の子どもへの対応を話し合う時」をご利用下さい。

（例：高学年用）Aさんは、本当は話す力があります。家では話すことができるけれど、学校ではとても緊張してしまうために、今はまだどうしても声が出ません。Aさんは、とてもみんなと話したいと思っています。もしあなたが、とても話したいのに声がどうしても出なかったら、どんな気持ちになりますか？　想像してみて下さい。Aさんは今、少しずつ話す練習をしています。でも、これはとても難しいことなのです。そんな難しいことに、Aさんは今チャレンジしようとしています。このクラスはとてもいいクラスなので、みんなの協力があれば、ひょっとしたらできるかもしれません。みなさん、Aさんのチャレンジを応援してくれませんか？　そのためには、次のことを注意する必要があります。

①声が出るためには、Aさんがとてもリラックスして楽しい気持ちになることが必要なんです。緊張していると声が出ません。Aさんが、嫌な思いをするようなことを言ったり、やったりしないでしないで下さい。
②たくさん話しかけてください。首を振ったりうなずいたりして答えることは、とてもよいことです。その時Aさんの顔をのぞき込んだり、じっと目を見たりしないでください。あまりじっと注目されると、リラックスできません。
③もしも声が出たとしても、その時はさりげなく接して下さい。「Aさんが話してる！」「もう1度言ってよ」などと言ってはいけません。騒いだりしないで下さい。そんなことをすると、せっかく声が出ても緊張してしまい、また声が出なくなります。

　これらを守れていない人に気がついた時は、その人に注意して下さい。周りの人はいつ話すんだろうとプレッシャーをかけないように、心の中でそっと応援してください。

第2章 対応

◆**絵本を用いて、場面緘黙の理解をすすめる**

「学校で話せない子ども達のために」[26]というサイトに、低学年向きクラス理解用絵本「なっちゃんの声と心とお友達」があります。クラスの子どもたちに読んであげるのもよいでしょう。また、本書の最初に載っている詩「しゃべれない〜緘黙（かんもく）の気持ち〜」[27]は、子どもの頃に場面緘黙だった方の詩です。最後（151ページ）の詩「かんもくのあなたへ」は10才の場面緘黙の女の子の詩です。教員の理解にぜひ役立てて下さい。

Q56…子どもが初めて話した時は、どんなふうに接すればよいでしょうか？

緘黙児がいない時に「『先生、Ａちゃんがしゃべったよ！』などと言うと、Ａちゃんは恥ずかしくてまた話せなくなります。だから、絶対言わないで下さい」とクラスで話しておくとよいです。どのように話せばよいかは保護者と相談しましょう（Q55参照）。それでも「話せた」と友達が喜んだり拍手した時は、先生は「大騒ぎすることはないよ。Ａちゃんがしゃべれることは、みんな知ってたでしょう」と言ってその場を収めましょう。

コラム63 学校で話せない子どもたちへ（小2男子の保護者）

学校で話せない子どもたちへ

　おうちでは話せるのに、学校ではどうしても声が出ない子どもたちがいます。どのくらいいるのか、あまりはっきりとはわかっていませんが、どの学校にも1人か2人いると言われています。あなただけではありません。

　きっとあなたは長い間「自分だけだろう」と、とってもつらい気もちでいたと思います。まわりのお友だちや、かぞくからも話すように言われて、とてもくるしかったと思います。つらいことにずっとがまんして、ほんとうに今までよくがんばりましたね。あなたが学校やそのほかの場所でできるようになったことは、ほかの人たちができるようになるよりもずっとずっとたくさんの勇気と努力が必要だったことでしょう。そんなあなたのがんばりを、1人でも多くの人にわかってもらえたらと、わたしはねがっています。

　わたしの子どもも、学校では声が出ません。とてもつらい思いを今までしてきました。あなただけではないんだよ。と子どもにつたえたくて、絵本を作りました。よかったらあなたもよんでみてください。

　今わたしの子どもは、学校の教室で、わたしといっしょにすごしたり、休みの日にお友だちとあそんだりして、少しずつ少しずつみんなと楽しくいられるようにしています。

　今のあなたはたとえ声が出なくても、あなたにとってやりやすいやりかたで、人と交流することが大切だと思います。みぶりや手ぶり、カードやメモをつかうのもいいでしょう。何かならいごとをしていたら、そのならいごとや、お母さんとのおかいもの、お友だちとのあそびなどですこしずつ、言いやすいことばから話してみるのもいいと思います。

　そうやって、人と交流したり、いろんなところへ出かけて経験することはいつかあなたが大きくなったときに、かならずやくに立ちます。あなたのやりやすいやり方で、楽しく、がんばっていけたらいいですね。あなたが今まで、そしてこれから経験するひとつひとつが、いつかあなたのもとにかならずかえってきます。

　わたしも、子どもといっしょに今がんばっていることは、わたしやわたしの子ども、そして多くのくるしんでいる子どもたちにきっとやくに立つと、そうしんじています。

小2男子の保護者より

「学校で話せない子ども達のために」[26] より

■不登校やいじめに注意しましょう

Q57…学校に来にくいようです（Q42・Q54参照）。

　日本の文献では「緘黙児は不登校になることはほとんどない」と書かれた物が多いようです。しかし、統計はありませんが、不登校になる緘黙児は少なくないようです。

　緘黙児が不登校にならないように、次のようなことを心がけましょう。

> ・先生の方から困っていることがないか声かけしましょう。普段から「いつでもなんでも先生に伝えてね」「お母さんから伝えてもらってもいいよ」と話しておきましょう。
> ・保護者との連絡を密にとりましょう。
> ・連絡ノートやメモでのコミュニケーションを工夫しましょう。もしもいじめや不登校が起こったとしても、それまでに先生と子どもの間に信頼関係ができている場合は対応がしやすく、教師が力になってあげられます。
> ・保護者と協力して、緘黙児に対するクラス理解に取り組みます。いじめや緘黙児にいやなことを言ったりしたりする児童がいないか気をつけます。

　子どもが不登校になった時は、以下の点に注意しましょう。

> ●強い不安のために学校に行けないという理解が必要です。
> ●子どもの状態によって、対処の仕方が違ってきます。相談機関や医療機関、スクールカウンセラーに相談しましょう。

・子どもが、先生は自分を理解してくれていると感じることは、子どもに大きな力をあたえます。
・保護者に協力を申し出ましょう。子育てに問題があったのではないかと自分を責めている保護者も少なくありません。そんな保護者を支えてあげて下さい。
・無理やり登校させません。緘黙児はおとなしい場合が多く、強引に登校させるとそのうちあきらめて登校するようになります。しかし、不安への不適切な対処法を身につけ、人への信頼関係に大きな傷を残すケースがあります。
・安心できる学校環境を増やせるように、保護者や子どもと話し合いましょう。どんな場面が子どもの不安を起こしているのか、保護者に協力してもらい子どもにたずねたり、子どもの状態から推しはかりましょう。子どもの状態によって、参加できる具体的な活動や参加方法の選択肢を示します。子どもが自分で考えて選べるようにすることが大切です。できるならば、校内に静かに過ごせる別室を用意しましょう。
・クラスメイトに対して、子どもの状態の理解を求め、本人のがんばりを伝えます。

コラム64 不登校の娘に対する小学校の先生の配慮にとても感謝しています（小4女子の保護者）

　子どもは不安から不登校になりました。学校の対応、特に担任の先生の存在は本当に大きいです。私は、学校に心から感謝しています。

- 新学年になる前は、校長先生自ら、「教師の中で、一番お子さんの気持ちがわかる担任をつけます。そして、一番安心できる友達を同じクラスにしますので、どうか安心してください」と言っていただきました。
- 病院に行く日、副校長先生もつきそってくださいました。「学校、病院、そして、保護者の連携を密にしていきましょう。力をあわせて、お子さんが安心して学校生活を送れるよう最大の努力を全教師で行なって参ります」と言っていただき、本当に安心できました。親が、学校を安心できるか不安や不満を抱いているかは、必ず子どもに感づかれました。私が心から安心できた時、子どもも学校へ行きだしたような気がします。
- 校長、副校長、担任、クラブの顧問など、かかわるすべての先生が、子どもだけでなく、親の話を何時間も聞いてくださいました。「どうすることが、緘黙児にとって一番よいのか、勉強不足ですみません」と言われながら、一番に子どもの気持ちを聞き、大切にしてくださいました。いっしょに乗り越えていきましょうという気持ちが何よりも嬉しかったです。
- 学校内の個室を朝から夕方までずっと貸していただきました。「お子さんが、安心されるのであれば、毎日でも通って、この部屋以外にもどこでも使ってくださいね。そのための、部屋ですから。お母様も毎日の登校で、体を壊さないように、何かありましたら、どんなに些細なことでも報告してください。お子さんは話せなくて苦しいのですから、お母さんが遠慮したら、お子さんがおかわいそうです」とまで言っていただきました。
- 担任の先生も、どうすれば、教室に入れるようになるか、真剣に悩まれ、クラスの子どもたちとも何度も話し合ってくださいました。担任の先生のおかげで、クラスのみんなが本当に優しく、思いやりあふれるクラスになりました。
- とにかく、学校側は不安材料を取り除き、安心できる環境作りを次々に整えることに力を入れてくださっています。担任だけでなく、学年主任や、保健の先生など、全体で動いてくださっていることが、なによりも心強くうれしく思っています。

　不登校が、週3日行けるまでになったのは、先生方のおかげです。自分の子育てがいけなかったと落ち込んだとき、いっしょに泣いてくださった先生のおかげで、今日までがんばることができました。

第2章　対応

コラム65　薬と別室学習、先生との交換日記で乗り切りました（中3男子の保護者）

　息子は中1のとき、夜「学校へ行きたくない」と言ったり、朝着替えられなくて、私が着せてあげなければならない日が続きました。息子は暴れるタイプだったので、学校へ連れて行くのも学校の中に入るのも一苦労でした。医師に相談して、息子は交換日記によって担任の先生とのコミュニケーションを図っていきました。子どもの日記に対して先生が毎日コメントを書いてくださいました。その息子も、中学2年の2学期くらいには学校生活を楽しめるようになり、永遠に続くかと思われた朝のうつ状態はいつの間にかなくなりました（SSRIのデプロメールも確かに効果があるように思います）。

　また、何かプレッシャーがあって授業に参加できないとき、一人で静かに過ごせる部屋を用意してくださいました。はじめのうちは保健室に行っていたのですが、保健室登校の常連さんたちがいて落ち着かず、保健室にも行けなくなってしまったためです。一人で行動に移せないので、毎回その部屋までの送り迎えもしてくださいました。不安が強くて調子が出ないときは、無理して参加させずにゆっくり休むことで、不思議と次の時間には何事もなかったかのように参加できたりしました。うちの子の場合、場面緘黙だけではなくアスペルガー傾向があり、思春期で、それでなくても不安定な年頃ということもありました。1年の頃はしょっちゅうその部屋にエスケイプしてましたが、3年になってからは4月に1回だけです。新しい教科担任の先生たちにも慣れたので、もう大丈夫かなと思っています。

Q58…嘘や仮病を使って学校を休みます。

●先生も保護者も決して子どもを叱らないでください。

　もちろん嘘や仮病はよくない行為です。しかし、子どもの行為を非難する前に、無理な学校環境が子どもに嘘をつかせているのだということを理解してください。子どもは自分を責め、後ろめたさを感じて苦しんでします。子どもは、そうすることでしか自分を守れなかったのです。子どもの行動は不安が起こる場面を避けるためのものであることを、先生や保護者は理解しましょう。場面緘黙を理解し、不安の少ない学校環境を整えることが必要です。

コラム66　子どもの嘘について（小5男子の保護者）

　私は叱らないであげて欲しいと思います。もちろん嘘をつくことは悪いことですが、子どもさんは嘘をつくことで自分を守ってきたのでしょう。叱られるかも、見捨てられるかもという想いの中で、勇気を出してお母さんに打ち明けてくれたのでしょう。まず、嘘をついていた事実より、嘘を打ち明けてくれた勇気をほめてあげて欲しいと思います。

　「つらかったね。よく話してくれたね」と、お母さんに共感してもらえるだけで、子どもさんの心は軽くなるのではないかと思います。「見捨てたりしないよ」というメッセージを伝えて、安心させてあげてください。その上で「嘘はいけなかったから、いつか先生に謝まれるといいね。でも、まずはお母さんがきちんと話してくるから大丈夫。心配しなくていいよ」と伝えてあげてはいかがでしょうか。

Q59…いじめられているようなのです。

(1) 先生と保護者が子どもの味方になってあげましょう

　保護者を通してなんでも言って来て欲しいことを伝えます。子どもが連絡ノートやメモで先生に直接困っていることを訴えることができるなら、もっとよいでしょう。

(2) 「困っている」と、子どもが人に伝えられたことを評価してあげましょう

　先生に伝えてくれたことを嬉しく思うと言ってあげましょう。子どもはいじめを受けていることをなかなか大人に言えないものです。特に緘黙児は、社会不安のために、人に自分のことを知られるのが怖いのです。

(3) 子どもがもっと具体的に語れるように、細かい配慮をしましょう

　子どもは「先生が相手の子どもに注意したらどうしよう」「先生がクラスで話したらどうしよう」と気になって、具体的に話しにくいことが多いのです。先生は「あなたから聞いたことを勝手に誰かに話さない」「誰かに話す時は、必ずあなたに聞いてからにする」と約束して安心させてあげましょう。

(4) 先生はクラスで自分が緘黙児にどのように接しているか振り返ってみてください

　先生が緘黙児の存在をクラスの中で軽んじている場合、子どもたちはそのような先生の態度を学習し、まねている場合があります。子どもたちは先生の言動にとても敏感です。

(5) いじめへの対処を行ないます

　いじめは、いじめをする生徒の問題です。いじめられる側は何も悪くありません。たとえいじめられる側に何か欠点があったとしても、それをいじめという形で攻撃してはいけないのです。いじめは、「いじめている子どもが誤った方法で自分のストレスを処理する行動」です。教師は、いじめている本人にやめなさいと注意したり叱ったりするだけでは不十分です。いじめへの対応は、①情報を集める、②個別に子どもに対応する、③クラス全体にストレス・マネージメント教育を行なうなど複合的な対応が必要です。

(6) いじめられた子どもへの支援が最も大切です

　いじめの問題で1番大切なのは、いじめられた子どもへの支援です。把握された情報といじめられた子どもの訴えが食い違っている時の対応は特に注意を要します。いじめを訴えてきた子どもに「B君はそんなことしていないと言ってたよ。気にしすぎでは？」と伝えたり、「あなたの言い分ばかり聞けないから」と言う先生がいます。このような行為は、いじめを訴えた子どもを二重に傷つけます。敏感な子どもやいじめられた経験のある子どもは、些細なことが過大に感じられたり、現実をとらえる時に認知的な歪み

が生じたり、過去にいじめられた体験のフラッシュバック＊を起こし、それが影響している場合があります。しかし、子どもがそう体験したものは、まさにそれが子どもの「心的現実」なのです。

　先生は、「客観的事実」と「心的現実」を区別してとらえ、いじめられた子どもに対しては「心的現実」に添って話していく必要があります。心的現実に添って子どもを支援していくと、子どもは少しずつ事実を客観的に把握できるようになっていきます。

(7) **子どもに、先生ができることを提案してみましょう**

　いじめた子への注意、個別指導、クラスでの全体指導、誰から聞いたことにするか、どんな言い方がよいか、先生ができる対応の選択肢を示して、子どもの意見を聞きます。子どもは結局先生に「何もして欲しくない」と答えるかもしれません。大切なのは、先生が自分のために考えてくれている、先生は自分の味方なんだと子どもが感じることです。「耐えるしかないと考えずに先生にはこれからも話して欲しい」と伝えます。

＊トラウマになるようなショックな体験を受けた後、何かのきっかけで、突然鮮明にその時の記憶が思い出される現象。

コラム67　その都度担任の先生に報告 （中3男子の保護者）

　中1夏休みをはさみ、2学期に入ってから、運動会、総合学習、合唱コンクールなどの行事が立て続けにあり、その間、人間関係のトラブルが次々と起こりました。中学生の男の子たちは、いろいろとプレッシャーがあるためか、異質なものに対する攻撃は厳しく、ことばの暴力が絶えなかったのです。幸い、うちの息子は全て母親に話す子だったため、その都度担任の先生に報告し、対処してもらうことができました。そのときのメモが残ってましたので、中学生の緘黙児が言われがちなことばとして、参考までに書いてみます。「てめえの顔、きもいんだよ」「しゃべらないのに笑うな」「調子に乗ってんじゃねー」「みんな甘やかし過ぎなんだよ」「どけよ」「じゃまだ」「死ね」「消えろ」「人間だったんだ」など。特定の5～6人の子なのですが、指導してもらっても、なかなかやめてくれない子もいました。強い子なら、「うるせー」「だまれ」と言い返せば済むことなのでしょうが、息子は全て真に受け、深く傷ついていました。

　何かうまくいっても、また次の問題が起こり、まるでもぐらたたき状態でした。息子は「ぼくはなんで普通じゃないの？　ぼくってダメだね。学校に行くといやなことばかり起こる。高校になんか行けないからいいよ」と言ってました。「みんながぼくのことを嫌っている。ぼくはいないほうがいいんだ。お父さんや弟がぼくのことを笑ってる」と被害妄想的になってきたとき、再び医師に相談し、薬の量を2倍に増やして様子を見ることになりました。薬以外にも、学校生活での具体的なアドバイスをしていただき、それをすぐに学校側へ伝えて配慮してもらえるようにお願いしました。

Q60…わがままで、問題行動があります。

●子どもの行為が不安な場面を避けるためのものでないか、よく考えましょう。

緘黙児を、話さないことで周囲をコントロールしようとしている、受動攻撃的、操作的、反抗的と考える研究者がいましたが、近年では多くの研究者がこのような考え方は誤りだと考えています。

確かに、緘黙児は家庭で頑固だったりイライラしたりすることが多く、反抗的なことはあります[14)][28)]が、不安がない状態で反抗的、挑戦的な態度をとることはほとんどありません[6)]。わがままに見えることが、実は不安や独特のこだわりが原因の行動であることが多いのです。

緘黙児に問題行動がある場合は？

・不安を感じる場面を避けるために、指示に従えない場合がほとんどです。
・学校でのストレスを、家庭で発散するしかない状態の場合があります。
・不安やこだわりのために、自分のやり方を通そうとすることがあります。
・不安なことを強制され続けてきたために、「従わないぞ」という反抗的、挑戦的な気持ちをもつことがあります。
・対人関係の持ち方が未熟な子どもがいます。人とコミュニケーションすることを避けてきたために、他人とうまくつきあっていく方法を学ぶ機会が少なかったためです。このような子どもは、トラブルの中から一つ一つ適切な対人関係のスキルを学んでいく必要があります。
・発達障害から二次的な問題が生じている場合があります。発達障害に詳しい医療機関との連携が必要です。
・虐待など過酷な環境におかれている場合があります。このような場合は学校だけでは対応できません。児童相談所などの専門機関との連携が必要です。
・不適切な環境に長い間置かれたために孤立感を強め、二次的障害として別の精神疾患が引き起こされている場合があります。

3 その子に有効なアプローチを検討する

Q61…治療や取り組みを考える時に大切な点は？

　場面緘黙の治療法は、海外でもまだ確立されていません。海外の資料にもとづいて行なった保護者や心理士の実践の中から得たものを、Q61とQ62にまとめました。

●「情緒の安定」と「行動の変化」、この二つの視点が必要です（図5）。

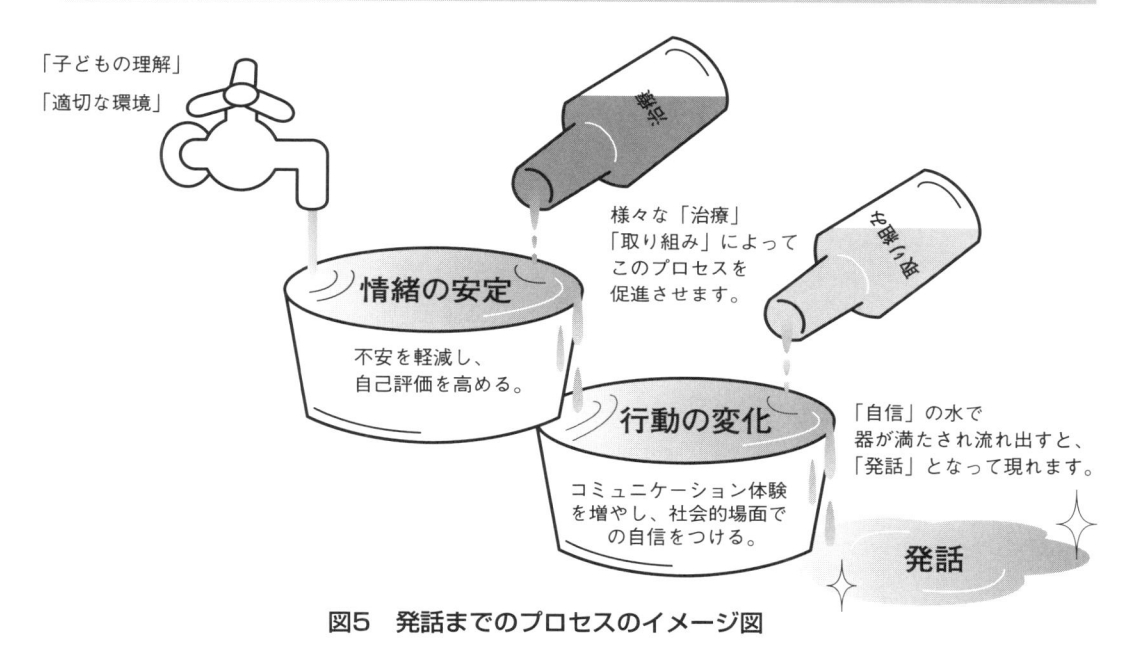

「子どもの理解」
「適切な環境」

様々な「治療」「取り組み」によってこのプロセスを促進させます。

情緒の安定
不安を軽減し、自己評価を高める。

行動の変化
コミュニケーション体験を増やし、社会的場面での自信をつける。

「自信」の水で器が満たされ流れ出すと、「発話」となって現れます。

発話

図5　発話までのプロセスのイメージ図

　子どもが環境や不安に対して様々な対処法がとれるようになることが目標になります。子どもの不安を軽減し、自己評価が高まるよう働きかけて、「情緒の安定」をはかります。また、情緒の安定をはかるだけでは、一旦固定され習慣のようになった緘黙という行動を捨てることは難しい場合が多いのです。新しい体験をさせ「行動の変化」をうながすことが必要です。

●長期戦です。目標を「発話」に置かず、「不安」に注目しましょう。
●「子どもの理解」「適切な環境」があって初めて「治療」や「取り組み」の効果が期待できます。
●保護者、先生、医師や心理士の連携が望まれます。
●子どもによって、有効な治療や取り組みが異なります。
●多方面からのアプローチが有効です。

Q62…どのような治療法や取り組みがありますか？

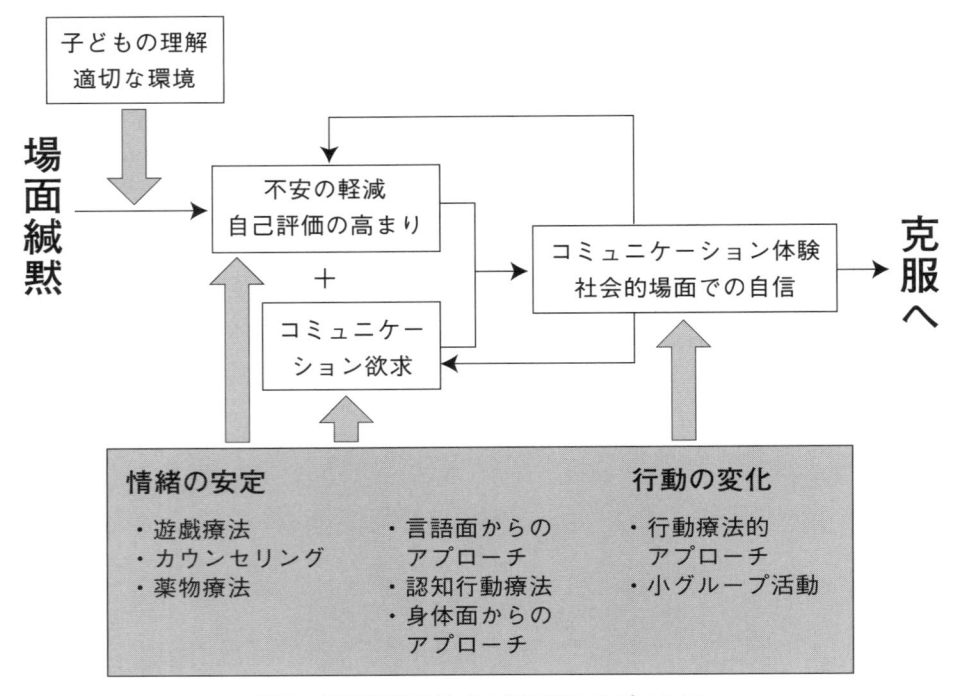

図6　場面緘黙の治療と取り組みのプロセス

場面緘黙の治療や取り組みには、「情緒の安定」を主にねらいとする「遊戯療法・カウンセリング」「薬物療法」などと、「行動の変化」を主にねらいとする「行動療法的アプローチ」「小グループ活動」など、またその中間にあたる「言語面からのアプローチ」「認知行動療法」「身体面からのアプローチ」などがあります（**図6**）。

また「人とのコミュニケーション欲求」が重要なポイントになります。情緒が安定しても、人とコミュニケーションしたいという気持ちがなければ、新しい体験をして緘黙という行動を変えていくことはできません。人への関心が薄く「人とのコミュニケーション欲求」が小さい子どもの場合はそれを育てていくこと、緘黙が長く続いたために弱まっている場合は回復させていくこと、また新しい体験がしにくい状態の時でも「人とのコミュニケーション欲求」が失われないように人とのつながりを保つことが大切です。

●海外のサポート団体では、チームで取り組む「行動療法的アプローチ」をほかの治療法と合わせて行ない、成果をあげています。

(1) 行動療法的アプローチ （Q63～Q67・第3章参照）

　行動療法の「恐怖症」の治療法を適用します。話させようというプレッシャーをすべて取り除き、正の強化（好ましい行動をほめ、同じ行動を起こしやすくする方法）と脱感作法（十分にリラックスした状態から、徐々に難しいステップに挑戦していく方法）を用います。ほかにも、安心して話せる人といっしょにいる状況設定に、徐々にほかの人を招き入れる刺激フェイディング法や、すべての形態のコミュニケーションを奨励し、徐々に自然な発話に近づけていくシェイピング法などが用いられます。

　具体的には、保護者、先生、専門家が協力しながら、「人」「場所」「活動」について入念に考慮した「スモールステップを組む方法」があります。カナダのA.マックホム他著『場面緘黙児への支援—学校で話せない子を助けるために—』[4]が役立ちます。この方法は、特に小さい子どもに有効な方法で、意識させずに楽しくステップを進めることができます。年令が上の子どもでは、本人の挑戦したい気持ちを大切にし、ステップについて話し合いながら進めます。日本でも過去に行動療法の専門家によって有効な治療法[29]が示されていましたが、残念ながら普及しませんでした。

(2) 小グループ活動（Q68・Q69参照）

　小グループの活動は、教室と比べて子どもの不安が低くなるため発話がうながされやすくなります。「ことばの教室」などでの取り組みがあります。小グループ活動の中で、ゲームや料理やスポーツなどを行ない、自己表現や社会的スキルを伸ばします。

(3) 言語面からのアプローチ（Q69参照）

　緘黙児の中にはかなりの割合で、ことばの問題をもつ子どもがいます（Q13・Q38参照）。「聞く」「話す」の中のどのプロセスが難しいかをとらえるために言語聴覚士や心理士と相談することをお勧めします。「コミュニケーションの教室」「ことばの教室」なども検討しましょう。

(4) 認知行動療法

　海外では、年令が上の子どもについて認知行動療法（CBT）が有効とされています。CBTは訓練を受けたセラピストが、ポジティブな思考に向けて考え方を変えていけるよう助け、ステップを用意して行動を修正していくよう手助けする方法です。子どものよい点を強調し、不安を軽減し社会的場面での自信を築いていくことに焦点を当てます。日本でもCBTは普及してきていますが、場面緘黙の治療はまだほとんどされていないようです。CBTの方法は、年令の上の子どものスモールステップを組む時に、とても参考になります[30]。

(5) 身体面からのアプローチ

　緘黙児の中には、感覚過敏や感覚統合の問題、運動機能の問題をもっている子どもがいます（Q39参照）。「感覚統合訓練」は様々な遊びを通して感覚を刺激し、脳の活性化をうながす方法です。自治体や教育センターなどにプログラムを受けられるところがないか問い合わせてみましょう。「動作法」は不要な筋緊張がある脳性マヒの子どもへの適用から始まり、「臨床動作法」「教育動作法」として自閉症や緘黙や不登校の子どもにまで適用されています[31]。小グループ活動に、体の動きを伴う遊びを取り入れるのも有効です（Q68参照）[21]。また、緘黙児は1日中身体の緊張を強いられている場合が多いのです。「呼吸法」や「リラクセーション」を取り入れる方法も有効です。スポーツや楽器などの習い事も検討してみましょう。

(6) 遊戯療法、カウンセリング（Q70・Q71参照）

　場面緘黙について知識をもった専門家の見立てが必要です。抑制的気質や発達の問題をもっている子どもは、自己評価が下がり、強い不安や孤立感から、不安への不適切な対処法を身につけがちです。環境から大きな負荷を受けてきた子どもも同様です。非指示的な遊戯療法やカウンセリングでは、セラピストと安心して自己表現できる関係を作り、表現活動を通して内的世界の安定をはかり情緒発達をうながします。絵や創作などの表現活動、箱庭療法のように言語ではなくイメージで表現できるものも有効です。

　年令が上の子どもの場合は、不安な出来事を振り返りその体験を意味づける、有効な不安への対処法を見つける、自己イメージを修正していく、ステップについて話しあうなどします。カウンセリングで話せない時は、筆記でコミュニケーションをとります。

(7) 薬物療法（Q72参照）

　薬物療法をめぐっては海外でも賛否がわかれています。日本では、子どもへの薬の使用は副作用の懸念から、ほとんど使われていないのが現状です。

(8) そのほか

　海外ではアニマルセラピーが試みられたり、ペットを持つことが緘黙児にとってよい効果をもたらす例が報告されています（第3章⑯参照）。

　学校でいじめがある場合や、子どもが学校で話すきっかけがつかめないだけの場合は、転校で症状が改善するケースも中にはあるようです。学校以外の場所で十分話せていて、学校でも非言語的コミュニケーションをとれるようになっていること、そして本人も転校を希望している場合は検討してみてもよいでしょう。

Q63…入園入学前や新学年に備えて、できることは？

●緘黙児にはウォーミングアップが大切です。

　入園入学や新しい学年になる前に、「場所」や「人」になるべく子どもが慣れておくようにしましょう。緘黙児は新しい環境に慣れるのに時間がかかり、大きな負担になりやすいためです。Ｋnet資料No.7が役立ちます。

- 近所で遊ぶ、習い事や地域のサークルなど少人数のグループ活動に参加するなどして、知り合いや友達を作っておきましょう。入園入学予定のクラスの子どもと、一人は知り合いになっておきたいものです。
- クラス編成は、子どもや保護者の希望を聞いて、親しい友達と同じクラスにし、苦手な子どもと離すことが望まれます。
- 場面緘黙に理解を示すことができ、細やかな配慮ができる心暖かい教師、保護者が気軽に何でも連絡できるような教師が理想的です。
- なるべく早い時期に新担任に引き継ぎをすることが望まれます。
- 新担任は保護者と相談して、春休み中に学校で会ったり家庭訪問して子どもと遊ぶことができれば理想的です。子どものお気に入りのおもちゃを見せてもらったり、絵本を子どもに読んであげたりしましょう。
- 休み中に誰もいない学校を訪問し、保護者といっしょに校庭や廊下や校舎内を歩きまわりましょう。新しい教室やトイレなどを見て回ったり、先生が仕事をしている同じ部屋で、親子で遊ぶ取り組みは効果的です。子どもが慣れてきたら、先生の新学年のための準備の作業をいっしょにするのもよいでしょう（夏休み中の先生の家庭訪問や学校での取り組みも有効です）。
- 担任の写真や手紙を渡すことも子どもの安心につながります。校舎や教室の写真やビデオを撮って家で何度も見るのもいいでしょう。

Q64…スモールステップはどのように組めばよいのでしょうか？

　取り組みの目標は、「不安を軽減する」「自己評価を高める」「社会的交流の体験を増やし、社会的場面での自信をつける」です。子どもに話させることが目標ではありません。スモールステップを組む前にもう一度、思い出してください。

●何かをやれたという達成感こそが、子どもの中に、前に進む意欲と自信を育てることができます。

　スモールステップの組み方はほかにもありますが、ここでは、『場面緘黙児への支援』[4]に書かれてる方法を基礎としています。計画はその通りに行かないものです。できることから、「ねばり強く、柔軟に、そして気長に」すすめましょう。

①安心度チェック表と発話状態チェック表をつけて子どもの状態を把握する（Q23参照）。
②今、安心して楽しく話せている「人」「場所」「活動」から始め、「活動」→「場所」→「人」の順番に、少しずつ設定を変化させ、楽しく話せる場面を増やしていく。
③小さい子どもは意識させずに楽しい気持ちを大切に。年令が上なら、子どもの気持ちに添ってやる気を引き出し、いっしょに取り組む。
④7割程度の確率で成功する場面設定を考える。
⑤失敗はつきもの。失敗したら、失敗要因を確認してステップをさらに細かく。
⑥繰り返してやるほどよい。

コラム68　緘黙の取り組みは自転車の練習と似ています（小1男子の保護者）

　『場面緘黙児への支援』で、発話のステップが自転車の練習に例えられているのですが、それが身をもってわかりました。自転車の練習で私が息子にしたのは、後ろで倒れないようにささえてあげて、気づかれないように手を少しずつ離すことでした。息子はだんだんこげるようになり「あれ？　お母さんがずっと持っていると思ってたよ！」と自分でも長くこげたことにびっくりしていました。

・うしろから決して押さないで、ささえるだけ。
・本人に気付かれないように、少しずつ手を離す。
・もしこげてても「今こげてるよ！」とは言わない。
・繰り返し練習する。

　これは、緘黙のステップと共通していると思います。特に低学年では、話すことを意識させないことが大切というのが、とてもよくわかりました。

第2章 対応

Q65…スモールステップの「人」「場所」「活動」の順番は？

大まかな順番を次に示しますが、ステップの順番は子どもによって異なります。

● **最初は「活動」、次に「場所」を変えていき、一人の「人」と教室でリラックスして話せたら別の「人」とのステップで進めていくのが基本です。**

子どもの状態をよく見ながら、ゆっくりと進めます。

> 「活動」…交流や会話をうながす活動、リラックスできる活動、体を動かす遊びを行なう。
> 　　ことばがあまり必要ない遊び（お絵かき・カードゲーム・キャッチボール）
> 　　→ことばが必要で素材のある遊び（絵を見て質問・簡単なお話の読み聞かせや音読）
> 　　→自由な会話・学習活動
> 「場所」…リラックスして話せる順番に、なるべく細かく変えていく。
> 　　家の中、庭
> 　　→公園、友達の家、店、図書館、ショッピングセンター
> 　　→運動場、校内の様々な場所、誰もいない教室、少人数がいる教室、皆がいる教室（同じ部屋でも場所やついたての有無、体の向き、周りのざわつきの度合いによって緊張度が異なる）。
> 「人」…複数人数でなく、一人ずつ別の階段でステップを進めるのが基本。
> 　　母親、父親、きょうだい、友達や先生。「保護者と二人」「保護者といっしょに」始める。ただし、保護者がいっしょの方が、かえって緊張する子どももいる。

コラム69　二人の関係を大切に　（小1男子の保護者）

人と人は二人の関係の方が自分を出しやすいと思います。
　　　　　お母さんと本人の二人きりの時。おとうさんと二人きりの時。
　　　　　先生と二人きり。友達と二人きり。また別の友達と二人きり。
　息子の場合、それぞれに違った自分が出せるようになりました。一番自分を出すのは、児童相談所での臨床心理士と二人の時です。これは、本当に特別な空間なのでしょう。この間、息子は私にも言えなかった悩みを心理士に打ち明けていたことがわかり、びっくりしたとともに、とても嬉しかったです。こうやって、二人の関係を複数もつことで、だんだんと自分を出すことを身体で覚えてきている感じがします。Knet資料No.3（1）に、お友達との遊びは、自宅で一人の友達と遊ぶ機会を作ることから始めて、「活動」を工夫しながら、家の外、近所、運動場、教室へと「場所」を移していくこと、それがうまくいけば別の友達とまた自宅から始める、とありました。スモールステップの取り組みは「リラックスして話す経験を増やすこと」が目的で、「別の友達とまた家から始める」という意味が、最近になってやっとわかってきたように思います。

Q66…小学校中学年以上の子どもの取り組みで大切なことは？

　スモールステップの取り組みは小さい子どもにとても有効です。小学校中学年以上の子どもは、取り組みを大人が提案しても、その提案にのらない子どもが多いでしょう。米国のSMart(スマート)センターでは次のように考えています（Knet資料No.14より）。

> ●専門家の治療経験からわかってきたことは、小学校中学年以上や十代の場面緘黙児の場合、彼らを治療に積極的にかかわらせ主導権をもたせることが必要だということです。
> ●「小学校中学年以上の子どもの小さな進歩は、とても大きな進歩なのだ」ということを保護者や先生は知っておきましょう。

　子ども自身が、その取り組みをやってみようかなという気持ちになるかどうかが鍵となります。子どもが自分の不安の状態を把握し、取り組みのステップを大人といっしょに考えていくなど、自覚的に取り組みを行なっていくことが必要になってくるのです。

・目標は発話ではなく、コミュニケーションができたという達成感が得られる経験を増やすことです。先生や友達との交換ノートから始めるのもよいでしょう。
・先生と保護者と連絡を密に取り合います。
・子どもの自信を失わせないことが大切です。失敗しないステップを工夫します。
・挑戦するステップについて、前もって細かい点まで話し合います。
・子どもと成果を確認しあい、十分に評価します。失敗した場合は、何が状況を難しくしたか話し合い、ステップをさらに細かく設定します。
・校内だけでなく、買い物や外食、学校外の活動、電話、習い事などの挑戦もいいでしょう。学校以外の場所でも人とのコミュニケーションを広げましょう。

　子どもが取り組みに前向きな気持ちなら、機会をとらえて次のようなことを伝えます。

・この方法で話せるようになった子どもがたくさんいる。
・話せる人、話せる場所、話せる活動から始め、小さなステップで少しずつ慣れていくことが大切。無理な挑戦はよくない。
・話すのが怖いという気持ちを乗り越えるには、少しずつ怖いと感じることに立ち向かうことが必要。
・「活動」「場所」「人」のうち、「活動」の内容が変わるよりも、「場所」が変わる方が難しく、「人」が変わることが一番難しい。
・練習の回数は多ければ多いほどよい。継続して挑戦するとよい。
・誰かと相談しながら取り組むと効果があがる（マラソンレースのように一緒に走る人がいる方がよい。共に走るのは保護者、教師、心理士など）。

Q67…スモールステップの取り組みを提案したら、激しく拒否されました。

　小学校中学年以上の子どもで、その時期までに親と子で取り組みを行なった経験がない場合は、緘黙児は大人からの取り組みの提案を拒否する場合が多いでしょう。子どもは「話したくないからいい」「放っておいてほしい」「そのうち、話すから大丈夫」と言うことがあります。しかし、こんな時も緘黙児は本当は話したくないわけでも、話せるようになると感じているわけでもありません。

●大人が子どもの状態を理解していること、不安な思いをすることを決して強制されないと子どもが感じていることが出発点です。

子どもが取り組みを拒否する時は、様々な場合が考えられます。
・保護者や先生が、自分を理解し支援しようとしているとは感じられない。
・取り組みのステップに挑戦するエネルギーがない。
・人とコミュニケーションしたい気持ちがあまりない。
・ステップが高すぎる。取り組みの種類が子どもにあっていない。
・取り組みの提案の仕方が唐突で、子どもにとって脅威に感じられた。
・尻込みした後、時間をかけて取り組む気持ちに向かうパターンをもつ。

　周りから話さないことを責められ、罰を受けたり、訴えを無視されてきたために、孤立感や大人への不信感を募らせてしまっている子どもがいます。不適切な対応をされ続け「人とのつながりをもつこと」に楽しみを見いだせない子どももいます。話すことができないつらさをそれまで一人で抱えてきた子どもがいます。そんな子どもに、いきなり取り組みを提示することはマイナスにしか働きません。このような子どもが、大人からの提案を受け入れられないのは当然のことでしょう。人との信頼関係、人とのつながりを実感できるような支援から始めることが必要です。

●「学力面でその子のもてる力を伸ばすこと」「社会とのつながりを保つこと」に支援の焦点を絞ります。
●大切なことは、発話ではありません。子どものもつ内的世界を誰かが認め、心の交流をすること、達成感を得る経験をして子どもの自信を育てることです。

　緘黙の期間が長い場合、子どもは話さないことで安定しているでしょう。子どもによっては、発話の状態が現状を維持しているならば、それはうまくいっていると考えてよい場合もあります。このつらい時期を、誰かといっしょにどのようにして乗り切ったかで、発話できるようになった後の人生が違ってくるように思います。

Q68…コミュニケーション促進に効果的な活動はありますか？

　英国では、緘黙児への特別支援教育として、1対1の活動やソーシャルスキルの向上などを目的とした小グループ活動が多く取り入れられ、場面緘黙の改善に着実な成果を上げています。特に、キーワーカー（ コラム21 　 コラム88 　参照）をつけてスモールステップで進めていく行動療法的な活動が奨励されています。信頼を培うために1対1の活動から始め、子どもの反応を見ながら、担任やクラスメートを交えた小グループ活動へと移行していく方法です。キーワーカーは、補助指導員（TA）が通常つとめますが、母親がつとめることもあります。また、発達障害の子どもを対象としたコミュニケーション向上のための小グループ活動は、緘黙児や引っ込み思案な子どもにも効果があるようです。

　教室でおとなしく先生の話を聞く子どもは、学校では他児のお手本とされます。そのため、「おとなしい子」「しゃべらない子」という自己イメージが、先生や他児によって強化されてしまうのです。校内での1対1の活動や小グループ活動は、子どもに教室とは異なる自分を体験させ、新しい自分のあり方を発展させる機会を与えます。

　例えば、低学年までの小グループ活動は、通常1回20分くらいで週に数回行なわれます（週1回でも効果があります）。子どもが騒いで楽しめる遊びを複数用意し、非言語コミュニケーションを促進させて、少しずつ発話を促します。動きを伴う遊び・身体遊びは、体の緊張をとるのに役立ちます。ＴＡからの働きかけ→ＴＡとの相互交流→親しい友達とのペア活動→他児とのペア活動（小グループの場合）というふうに、コミュニケーションの幅を広げていきます。ムーブメント教育、ダンスセラピー、音楽療法などの手法も用いられています。英国での実践[21]を参考に、日本の遊びを含めて、コミュニケーション促進に効果的な遊びの例を次にあげます（Q50参照）。

①動きを伴う遊び、身体遊び

　・ふくらませた風船をついたり蹴ったりして遊ぶ。

　・柔らかいマットに倒れこむ。ポーズを取って倒れこんだり、少しずつ距離を離したところから走ってきて飛び込む。

　・大人が、子どもを胸に抱えてグルグル回す。寝ている子どもを転がす。足を持ってなめらかな床を引きずる。子どもを抱えて「高い高～い」とジャンプさせる。楽しみながら、身体の重みや身体感覚を体験し、リラックスした状態で自分の身体を人にゆだねる体験ができる。

　・ピンポンボールをストローで吹く。シャボン玉や笛などは口の筋肉をほぐす。

②ペアでの遊び（じゃんけん手遊びやペアでするあそび歌など）

　例：「アルプス一万尺……」「夏も近づく八十八夜……」「こげこげボート」など。

　例：「ギーコギコギコ、の〜こぎり……丈夫な椅子ができたかな？　座ってみましょ」

③まねっこ遊び（ＴＡの動作をまね→ＴＡとまねをしあう→子どものペアでまねっこ）

・鏡まねっこでは、初め歪んだ像が映る凹凸鏡面で遊ぶ。次に、相手のおかしな表情や動作や音声をまねる。

・楽器まねっこでは、タイコや笛のリズムをまねしあう。音を出しながら部屋を行進するのもよい。先頭を順番にさせることで、リーダー役が体験できる。

・トーキング・トイの利用（コラム87参照）

④発話を促進させる遊び

・小グループ活動の最初と最後に床に輪になって座って、手をたたいてあいさつする。ＴＡが「こんにちは、○○さん」と言って手をたたく。子どもはアイコンタクト（視線を合わす）して手をたたくか、「こんにちは、○○先生」と言って手をたたいてもよい。活動の最後は「さようなら、○○さん」とあいさつする。毎回、同じパターンの活動をすると子どもの安定につながり、ＴＡが子どものコミュニケーションの進展状態を把握する機会にもなってよい。

・名前ゲーム…床に輪になって座り、柔らかい大きなボールをＴＡが子どもの名前を呼んで、その子に転がす。受けとった子どもは、誰でも好きな友達に向けてボールを転がす。その時、初めは相手の名前が言えなくてもアイコンタクトでコミュニケーションがとれるとよい。「１・２・３……」と順番に数をかぞえて言ったり、慣れてきたら「しりとり」や「好きな食べ物」などのテーマを決めて発話を促す活動につなげていく。

・パペット（指人形）で遊ぶ…顔が隠れるようにするとよい。初めは、握ると音が出るパペットを用いる。効果音や動物の鳴き声、簡単なセリフを促していく。

・車や電車ごっこ…車を走らせながら「ブーブー」「ポッポー」などと言って遊ぶ。

・動物ごっこ…動物になって、はい回って鳴き声やしぐさのまねをする。舌打ちや破裂音、「シュー」「ブー」「ガオ〜」というような音声のまねをする。

・繰り返しのセリフが多いなじみのある歌を歌ったり、お話の絵本をみんなでいっしょに読む。→一人でも言えるようにしていく。

　例：「大きなカブ」の「うんとこしょ、どっこいしょ。それでもカブは抜けません」

> **コラム70** 小グループ活動の効果（英国在住・6才男子の保護者）

息子の学校では、自閉症児や、社会性のない子ども、非常に引っ込み思案な子どものために、ソーシャルスキルの小グループが週に一度設けられていました。このグループに参加したことで、遊びを通してほかの子どもたちや先生に心を開くことができ、グループの人間関係にも慣れて、少しずつ不安を下げることに成功したと思います。

約4ヵ月ほどの間に、緘動でほとんど課題ができなかった状態から、少しずつ改善して、最後には遅いながらも課題を全部こなせるようになりました。また、毎朝「学校に行きたくない」と泣き、腹痛を訴えていたのもなくなり、クラスメイトとも少しずつ交流できるようになりました。この時点ではことばはほとんど出ていませんでしたが、不安をなくすという点では、とても有効だったと思っています。

Q69…「コミュニケーションの教室」などの通級教室とは？

「コミュニケーションの教室」「ことばの教室」「情緒障害級」などの少人数の通級教室のシステムがある自治体があります。自治体によって名称や対象やしくみが異なるようです。自治体や学校に問い合わせてみましょう。先生は情報を保護者に提供していきましょう。最近は民間の団体で「社会性支援プログラム」を行なっているところもあるようです。

●コミュニケーションをのばす小グループ活動は、緘黙児に効果的です。
●緘黙児の中には、ことばの問題をもつ子どもがいます。

「ことばの教室」や「情緒障害級」などでは、体を使った遊びを通して自己表現を促します[32)33)]。また、絵がついたプリント教材で、クロスワードパズルやなぞなぞをしたり、ソーシャルスキル・トレーニング（例えば、ある場面の絵を見せ、絵の人物が何と言えばよいか答を書かせる）などをする教室もあります[34)]。

通常、子どもは日常生活の中で話しているうちに、ことばの概念や様々な会話の法則を習得していきます。会話のプロセスは、大きく分けて「聞く」（受容過程）と「話す」（表出過程）の2つに分けられますが、緘黙児の中には、このプロセスのどこかに不具合をもっている場合があります（**コラム73**参照）。ことばの教室と連携し、検査などでどの部分が難しいのかわかれば、通級での指導、通常学級の教科指導、子どもとの接し方に活かすことができます。

第 2 章　対応

コラム71　「ことばの教室」に通って (小3女子の保護者)

　現在小3の長女は、小1の3学期から場面緘黙症になりました。学校では「声を出すこと」一切をしていません。私との分離不安が強く、小学校入学後しばらくしてから一人では登校できなくなり、現在も毎朝、私が教室まで付き添って登校しています。そのことで、小1の頃からスクールカウンセラーに相談をしていて、その勧めもあって、昨年、施設で発達検査（WISC-Ⅲ）を受けました。何かしらの支援が必要なお子さんのために、普通級に在籍しながら授業の一環で通級指導していただける通級教室があるのですが、娘は小3から、その中の言語障害通級指導教室「ことばの教室」に通っています。本来は、吃音（どもる）や構音障害があるお子さんが通っているそうなのですが、私の住んでいる地域では、緘黙児も「ことばの教室」で指導が受けられるようで、昨年スクールカウンセラーからも、娘の緘黙の原因の一つに「言語能力の低さからくる、話すことに対する自信の低さ」もあるだろうと言われていたので、通級を決めました。実際、通級の担当の先生のお話を伺っていると、緘黙に対する理解もあり、接し方もうまくて、この先生にはペラペラしゃべっています。

　教室では最初、場に慣れて楽しく通えるような工夫がされていました。先生のお話によると、まだ「指導」という感じではないようですが、先月は「自己紹介」をしました。どうするのかなと思ったら、先生はプリントを見せてくださいました。「私のなまえは（　　　　）です。学校は、（　　　　）です」という具合に、カッコの中を埋めていけば、自己紹介ができあがるプリントでした。たぶん、娘に普通に「自己紹介して」と言っても、「ヤダっ！」で、おしまいという感じになってしまうと思うのですが、このような穴埋め方式ならば、ちゃんと書けるのです。そして最後に、本人がこのプリントを先生の前で読み上げたら、もう立派な自己紹介でした。それから、今まで娘に「大きくなったら何になりたい？」というような質問をしても、いつも「わかんない」という返事だったのですが、「りょう理を作る人」とちゃんと書いてくれました。初めて聞きました。とても嬉しかったです。

コラム72　「コミュニケーションの教室」で少しずつ発話 (小1男子の保護者)

　息子は、入学時から「コミュニケーションの教室（情緒障害級）」に通っています。対象は「情緒面、コミュニケーションや社会性に困難を感じている児童」で、アスペルガー、ADHD、LD、そのほか、知的な遅れがない子どもです。私の市では、幼稚園年長の8月の就学相談会（親と市の担当者の面談）のあと、9月に発達検査WISC-Ⅲをして、11月に就学相談会で行動観察（5・6人のグループ）・医師との面談（親子）・親と就学相談員との面談があり、その1週間後に所見伝達があり、決まりました。市内に二つしかなく、市内各地からみなさん通っておられます。親学級から週1回抜けての通級で、低学年は4時限まで＋給食、掃除です。社会性を学ぶことが目的で教科の勉強はしません。少人数で、平均台や跳び箱に登ったりのサーキットゲーム、運動ゲーム、発表、製作（折り紙、水彩、造形）、調理実習、個別指導（プリント）などをしています。

　在籍級（普通級）ではまじめな授業態度で、やることもやっているのであまり問題視されず、担任の先生は「特に困っていることはありません」とおっしゃっていましたが、通級では普通級でやらない課題から苦手な面がはっきりと出ました。少人数で先生の目も多いこともあります（児童5人に対し、担任1人、補助2人）。この教室に通わせて、実は本当に意味があるのか半信半疑でした。でも1学期が終わって、「通わせてよかった」と思えました。在籍級ではできない発表も、コミュニケーションの教室では、だんだん声も大きくなっているようです（といってもボソボソっとですが）。「コミュニケーションの教室」のある日は、1時間目が始まるときにクラスを抜けるのですが、同級生が「がんばってね」「いってらっしゃい」と送り出し、5時間目に戻るとあたたかく迎えてくれるそうです。

コラム73 「聞く」プロセス・「話す」プロセス

聞く（受容過程）

音が聞こえる（聴力）
↓
話しことばを取り出す
　聴覚過敏のある子どもは、雑音の中から話しことばを取り出しにくいことがあります。はっきり発音すると同時に、文字で書いて示したり、写真や具体物などの視覚刺激を補助的に用いる必要があります。
↓
音を聞き分ける（音韻弁別）
　例えば日本人は英語のRとLを区別できません。日本語では特殊音節の「ゃ」「ゅ」「ょ」「っ」などや「だ」と「ら」、「ん」と「ぬ」などの区別が難しい場合が多いようです。「弁別」が難しく音韻の記憶がしにくいために、「音韻と意味のセット」記憶ができにくい子どもがいるようです。
↓
聞いた音を記憶する
　復唱するには一旦保持する短期記憶が必要です。聴覚の短期記憶が苦手な子どもには困難です。
↓
ことばの意味がわかる
　単語の「音韻と意味のセット」記憶、つまり知っている単語（語い）が少ないと、意味がわからないことが多くなります。概念が整理されておらず、意味をつかむのに時間がかかったり、意味がはっきりとつかめないことがあります。概念というのは、犬・猫・猿などを含めて「動物」ということばになることや、右と左が反対ことばであるというようなことです。目に見えない抽象的な言語はさらに習得が難しくなります。
↓
文の意味がわかる
　話しことばの場合、文章はそれだけで独立しているわけではなく、前後の文脈やＴＰＯにあわせて、意味を理解する必要があります。状況の読み取りが難しい子どもがいます。また、広汎性発達障害やその傾向のある子どもたちは、単語の意味を字義通りに受け取ってしまうことが多いため、文の意味を取り違えて、相手の意図を誤解しやすい傾向があります。例えば「頭固いな〜」を、本当に頭の表面がカチカチに固いのだと思ってしまう場合があります。したがって冗談も通じにくいのです。「こういう時はこういう意味なんだよ」と１つ１つ、わかりやすく解説してあげましょう。

第2章　対応

「話す」（表出過程）　－聞かれたことに答える場合－

相手の質問の意味がわかる

「聞く」の最後のプロセス。緘黙児は多くの場合「～ってどういうこと？」「～ってこと？」と聞き直せません。中には、聞いてはいけないと思いこんでいる場合や自分が理解できないことから目をそらしたい場合もあるようです。

↓

アイデアを思いつく・考えをまとめる

「何から話すか決める」「何が重要か選ぶ」「出来事を時系列に並べる」「出来事の因果関係をとらえる」「推論する」などが難しい場合があります。ことばカード、絵や写真、具体物など視覚的なものを利用したり、「誰が・いつ・どこで・何をした」や「初めに・次に・終わりに」などの表現するための枠組みを与えて支援します。すぐに答えられない時に「どうかな」「わからない」などの答え方のパターンを覚えるとよい場合もあります。

↓

ことばを探す

単語の「音韻と意味のセット」記憶、つまり語いが少なかったり、概念が整理されておらず単語を想起するのに時間がかかったり、単語がなかなか出てこなかったりします（喚語困難）。そういう子どもたちは、「あの～」「ええっと」と、ことばがなかなか出てこなかったり、「あれが」「こうやって」などの曖昧なことばが多くなります。ことばの種類（名詞、動詞、形容詞など）が整理されてないこともあります。「仲間ことば」や「反対ことば」集め、クロスワードパズルやなぞなぞで遊んだり、視覚的なものを補助的に用いることによって、ことばの広がりやことば同士の関係を学ぶとよいでしょう。

↓

文を作る

文法が苦手です。助詞や助動詞の使い方や、受動態、修飾語の付け方に難しさがあります。「ＡがＢに手紙を送る」といった文章で、ＡとＢの関係がわからなくなる場合があります。

↓

ＴＰＯにあわせた言い方にする

「こんな場面ではこう言おうね」とことばのモデルを示します。教材を使って言い方のパターンを学ぶソーシャルスキル・トレーニングが有効です。

↓

発声する

音韻障害（発音しにくい音がある）、吃音がある、自分の声が気になる、声の調節（音量・抑揚・感情のトーン調節）が難しい場合があります。

Q70…遊戯療法は、遊ぶだけで効果があるのでしょうか？

　子どもの「遊び」は、ただ楽しんで感情を発散させる大人の遊びとは質的に異ります。また、遊戯療法は、大人が子どもと遊んであげるのとは違います。セラピストは、子どもの主体的な「遊び」が自然に発展していくように、ことばだけではなくイメージを通して子どもを理解し、やりとりします。言語表現が苦手な緘黙児にとって、遊戯療法や箱庭療法はとても有効な方法です。遊戯療法では、決まった時間（週１回50分・２週に１回50分など）と場所、セラピストとの関係の中で、子どもは自由に感情を表出し、自分のイメージの世界を創造し、潜在的な心のエネルギーを活性化させます。

　子どもの力を学校での発話に結びつけていくためには、プレイルームで行なう遊戯療法だけでは難しさがあります。安心できる学校環境の整え、スモールステップの取り組みをあわせて行なうのが効果的です。スモールステップの取り組みは、年令が低い子どもや、話せるようになりたいと思っている子どもに特に有効です。

　現実への適応を進め、行動を変化させていくためには、心のエネルギーがあること、情緒の安定が必要です。トラウマ体験やつらい体験をしてきた子どもは、発話を目標にする前に心理的回復が望まれます。人とコミュニケーションしたいという意欲を育むことが大切でしょう。ことばの問題をもつ子どもには、言語の発達に焦点を置いた遊戯療法が有効です。

　小学校中学年になると、長い期間にわたって強化されてきた行動を変化させることが難しくなってきます。学校では高いレベルの適応を求められ、思春期に向けて内的変化にも心のエネルギーが多く費やされ始めるため、スモールステップの取り組みに気持ちが向かない場合や、取り組みを行なうエネルギーが不足している場合もあります。遊戯療法や箱庭療法は、心のエネルギーをつくり出すことを助けます。適切な環境を整備しながら遊戯療法を行なうことは、二次的な問題を防ぐ意味もあります。もしあなたが学校で声が出なかったなら、毎日どんな学校生活になるか想像してみてください。話せないことへのいらだちやあきらめ、否定的な自己イメージ、孤立感。すさまじい不安にさらされ続けることを防ぐために、子どもは不安を感じないよう、歪んだ防衛機制（心を守るための仕組み）を身につけてしまいます。自分を理解してくれる家族や他の誰かとつながりを感じられることは、二次的な問題を防ぎます。そうした役割をセラピストがとることで、子どもの力になれるのではないかと思います。小学校中学年以上の子どもでも、環境の整備と遊戯療法や箱庭療法などによって、発話について進展が見られたケースがあります。

Q71…保護者には子どもの遊戯療法の様子を見せてもらえないのはどうしてですか？

　遊戯療法には、親子が同室の形式、複数の子どもと一人のセラピストの形式、複数同士など、様々な形式がありますが、親子並行面接といって、親と子が別々の部屋で、それぞれ別のセラピストと会う形式をとることが多いようです。

　遊戯療法を別の部屋で受けている緘黙児の保護者から、子どもがどんなことをしているのかわからず不安だという声がよく聞かれます。遊戯療法について、セラピストが保護者にもっと説明することが必要なのだと感じます。

　なぜ遊戯療法が親とは別の部屋で行なわれるかというと、プレイルームが閉じられた非日常的な空間であることがとても大切だからです。子どもは生活の中では表現することを許されないような感情を、プレイルームでは遊びを通して表出します。例えば、子どもは、親や兄弟や友達などの周りの人たちに対して激しい攻撃的感情をもつことがありますが、現実の世界ではそんな自分の感情に気づいたり、表現したりすることは、恐ろしくてできないものです。子どもは自分のそんな感情から目を背け、ないものとし、表出や表現を抑え込みます。もし子どもがそのような攻撃的感情を現実場面でうっかり出してしまったりすれば、そのことに子ども自身が傷つき、そんな感情を否定し、罪悪感をもつでしょう。しかし、そのような攻撃的感情はエネルギーの源でもあり、コントロールされ、洗練され、表現方法が選ばれるなら、自己主張や、環境に働きかけ、環境を変えていこうとする能動性へとつながるものなのです。

　プレイルームという安心できる枠の中で、遊びを通して攻撃的感情が表現され、セラピストに受け止められれば、子どもはそんな感情を生活の中で抑えこむ必要がなくなります。また、自分の中で起きた感情を自分で取り扱い、現実でも許される表現ができるようになることは、子どもにとって大きな自信となります。

Q72…医師からお薬を勧められましたが……

●医師に薬の効果と副作用についてたずね、よく相談しましょう。

　精神科や心療内科の薬と聞くだけ、副作用や依存性を心配し、はじめから薬を検討されない保護者がおられますが、不安を下げるために薬の力を借りる方がうまくいく場合があります。薬には様々な種類がありますし、同じ薬であっても、人によって効き方や副作用が異なります。医師に疑問や心配を話して、よく相談してみましょう。

　日本では、副作用の懸念から、子どもの不安障害に対して積極的な薬の使用はほとんど行なわれていないのが現状です。しかし、極度のうつ症状や不安障害、睡眠障害に対して投与を行なう医師もいます。不安の治療には、セロトニン再取り込み阻害剤（SSRI）や抗不安剤などが使われます。日本で認可されているSSRIは、抗うつ剤としてもよく使用されるデプロメール、ルボックスとパキシルです。

　米国では小さな子どもに劇的効果をもたらすと、場面緘黙の治療にかなり積極的に薬の使用が検討されるようです。なかでも日本では未承認のプロザックは場面緘黙に有効という研究があります[35]。米国のSMart（スマート）センターでは、行動療法と薬物療法を組み合わせるのが最良の治療方法とされています。薬で場面緘黙そのものを治療するのではなく、行動療法的アプローチを進めやすくするために、薬を用いて不安を軽減します。

コラム74　デプロメールを中1の5月から服用（中3男子の保護者）

　息子は、小6から中1にかけて、周囲の元気な男の子たちからのバッシングがひどくて、自己否定的になっていました。「教室には絶対に行かない」としばらく別室登校していた頃に、児童精神科医にお薬を勧められ、本人も納得してSSRIのデプロメールを中1の5月から飲み始めました。医師からは次のような説明を受けました。「不安、うつ、こだわり行動を緩和することが期待される薬。そんなに心配しなくてよいのだと前向きになれる。長い期間を覚悟して飲むことが必要。10人に1人くらい、飲み始めに下痢をしたり、むかむかすることがある。ほかの精神安定剤や抗不安薬と違って、飲んでいるうちに効かなくなり増量が必要になったりしない。新しいタイプの抗うつ剤で、依存性がなく効果も減弱していかない。安全性が高く、子どもでも安心して使える」医師の丁寧な説明に納得し、投薬をお願いすることに決めました。

　飲んですぐに効果の出る薬ではないのですが、飲んだことで、苦手なことに取り組める希望が湧いてきたようです。薬を飲みながらスモールステップで教室に入れるようになり、6月には1時間目から放課後の部活まで、参加するようになりました。その後も、プレッシャーから朝家を出られなくなることもありましたが、調子の悪い日は別室で過ごし、学校にいろいろな配慮をお願いしながら乗り切ってきました。

（追記）
　高1の12月に断薬しました（コラム91参照）。

第2章　対応

コラム75 プロザックを6才から服用（米国在住・12才女子の保護者）

　娘は5才のときに診断され、遊戯療法を1年間続けたのですが、効果がなかったためプロザック（日本では未承認）を6才から服用しました。学校で一言も声が出なかった娘が、服用3ヵ月後クラスで声を出して本を読んだ時は先生と抱き合って泣きました。

　学校で試みたことはほかにもたくさんあります。例えば家でしゃべっているところをビデオに撮りクラスの皆に見てもらう（本人はとても恥ずかしがったのですが、皆にこの子はしゃべれるんだと思ってもらえよかったです）。放課後担任の先生と二人で本を読む（教室の中で、自分がしゃべれると思うのが大切）。おとなしい子の隣に座らせてもらう、などなど。でも大切なのは先生が娘を特別扱いしないということです。順番で本を読まないといけないときも娘をとばしたりせず、必ず読むかどうかたずねてもらい何も言わなくても「心の準備ができたら読んでね」と毎回言ってもらいました。ほかの生徒たちにも「まだ話す準備ができてないだけなのよ」といつも言ってもらいました。全てクリニックの先生のアドバイスです。

　今11才になった娘は薬なしでも、学校で声は小さめですが発表もできるようになり、仲のよいお友達が2、3人いて毎日うれしそうに登校しています。娘はプロザックを6才から半年、その後軽い副作用（手に汗、寝ている間に体をびくびく動かす）などがあったため別のSSRIセレクサに変えました。セレクサは3年ほど使用しました。

コラム76 プロザックについて（英国在住・6才男子の保護者）

　米国では緘黙治療に薬を用いるのが割と普通になってきているようですが、英国ではまだまだ薬に対する抵抗感が強いのが現状です。2006年秋、チャンネル4というメジャーTV局が緘黙児のドキュメンタリー番組『Help Me to Speak』を放映しました。5才のマデリンちゃんと9才のロバート君という2人の緘黙児が回復していく様子を、1年ほどかけて追ったものです。ロバート君は、家でなら話せる友達一人を除いて、学校に関係ある人の前では5年間全く話せず、親子で相談した末に、プロザックの服用に踏み切りました。

　ロバート君の場合は、服用し始めてから徐々に不安が減ってきたようでした。3ヵ月ほどして、友達を5人ほど家に招待し、得意のサッカーをして遊ぶという計画を自分で立てました。そして、当日はまるでずっとそうしてきたかのように、いきなり普通に話したのです。自分の得意なことで、しかも体を動かす遊びを入れたのが効果的だったと思います。ロバート君はサッカー部のキャプテンを任され、試合中に大きな声を出すことにも成功し、ドキュメンタリーは明るいトーンで終了しました。

　2006年3月にSMIRA（スマイラ）の保護者会に参加した際、講演者にロバート君のお父さんも含まれていて、投薬治療に関するお話をされました。その時点では（TVの撮影は終了済）、まだ学校では話し始めていないということでしたが、学校外では友達と普通に付き合えるようになり、本人もかなり自信がついたということでした。

第3章　実践 ―スモールステップの取り組み―

　この章では、保護者や先生や心理士が、Ｋnet資料や海外の文献を参考に、試行錯誤しながらすすめた実践の一部を紹介します。これらの実践のほとんどが、保護者と教師による行動療法的アプローチにあたるでしょう。そしてこのほとんどが、医師による診断や助言、心理士による検査や母親カウンセリング、また遊戯療法や薬物療法など、ほかの治療や取り組みとあわせて行なわれています。

　緘黙児への支援は「保護者」と「学校」と「専門機関」が連携し、子どもの生活全体をサポートしていくのが最も効果的です。症状を改善するには、一つの方法ではなく子どもにあった方法を組み合わせて行なうのがよいでしょう。どのような方法が適切かは、子どもによって異なります。そして実際の取り組みはなかなか計画通りにはいかないことが多いものです。保護者や教師は「ねばり強く、柔軟に、そして気長に」取り組んでいくことが求められます。ぜひ皆さんのヒントにしていただければと思います。

1　保護者と教師との取り組み

①お母さんとの放課後作戦

　誰もいない学校（園）の校庭や建物内を、母親やだれか親しい人といっしょに歩き回ったり、中で遊んだりする方法は、学校で話すことに慣れ、不安を減らすのに役立ちます。夏休みや春休みも利用しましょう。緘黙児は「人」「場所」「活動」によって不安のレベルが異なります。取り組みをする時はこの三つの要素を細かく分けて検討しましょう。教室などは、人が急に入って来ないよう注意し、あらかじめ学校にもお願いしておきましょう。

> ①１番安心できる人と、今安心できる場所と活動から始めることを考えます。１番安心できる人は、小さい子どもの場合はたいていお母さんでしょう。
> ②まず最初は、誰もいない休日や放課後、お母さんと学校や園に行きます。学校の中で１番安心できそうな場所はどこですか。そこから始めましょう。運動場や学校の中を歩き回ってみるのもよいでしょう。子どもがリラックスできる活動は何でしょうか。体を動かすと緊張がほぐれます。お母さんは子どもの緊張がほぐれるよう、いっぱい話しかけてあげて下さい。緊張を取って発話をうながしましょう。
> ③１番安心できそうな場所で子どもが楽しくおしゃべりできたら、子どもの教室以外の場所を借りましょう。最後に、子どもが１番緊張する教室に行ってみましょう。
> ④友達と自宅では声を出して遊べますか？　庭では？　公園では？　学校の校庭ではどうでしょう。友達とも、スモールステップを組んで最後は教室で遊びましょう。
> ⑤先生に入ってもらう方法や、子どもと先生で取り組む方法もあります。母親といっしょだとかえって緊張する子どもがいることに注意しましょう。

コラム77　幼稚園の先生と保護者と次女の取り組み（5才女子の保護者）

　長女と次女が場面緘黙です。去年11月頃にKnet資料を参考に、誰もいない園にお邪魔させてもらうことを実行しました。土曜日の午前中、長女と次女と私の３人で出かけました。行ってみると、カーテンを休みの日同様、全部閉め切りにしてあってまさに誰もいない状態！（でも担任と副担任の先生はひとつの部屋にこっそり隠れていてくれました）園に入るなり二人ともぺらぺらしゃべりだし、最後まで大はしゃぎで遊びました。

　月曜日、次女は園で副担任の先生と二人きりになると、かすかに空気のような声で話したとのこと、副担任の先生から担任の先生にそのことが伝えられました。すると担任の先生は皆が給食を食べている時間に、うちの子をお遊戯室に誘って二人だけの時間をゆっくりとってくださったようです。20分ぐらい黒板に字を書いたりボールで遊んだりしていると、また空気の声。それから普通の声になるまでは10分とかからなかったそうです。このことはその日の夕方に電話で教えてくださいました。

　火曜日、担任の先生とはお遊戯室で初めから普通に話し、そして副担の先生とも普通の声で話せるようになりました。それから、１ヵ月ぐらいの間で、副担と担任の先生に対して、お遊戯室から廊下、

トイレ、自分のクラスの子はいないけれど、ほかのクラスの面識のない子がいる廊下と、どんどん話せる場所が広がっていきました。

そして、年が明けて1月の半ば、自分のクラスのお友達一人と話せるようになりました！ そこから春休みに入るまでに、クラスでお話できる子→約10名。クラス以外でお話できる子→約5名、先生→4名と増員しました。

そして年長では、年中さんの時に仲がよく、お話できる4人と同じクラスにしていただきました。先生は今までまったく接点のなかった先生。初め私はこの先生になってかなり戸惑いました。せめて次女が話せる先生を担任にしてもらうようお願いすればよかったかなと思いました。不安もつかの間、初めの1週間はその4人とクラスでずっとしゃべっていたようですが、次の月曜からは新しい先生に話し出しました。今のクラスでは問題なくお話はできるようになりました。室内よりもむしろ園庭でのほうが大きい声で話しているようです。

今までは着替えをしない、運動会や体育やあらゆる行事はまったく参加せずに見ているか、隅っこで先生と手をつないで固まっているかでした。年長では、着替えとプール、体育は最近クリアしました。あとは、朝のお返事と、運動会やお遊戯会の1大イベントがどうなるかといった感じです。 とにかく、先生に資料をお渡しして、何度も面談をしていろいろ話し合いました。そして、先生の理解と協力を得ることができました。保護者といっしょにゆっくり考えてくださる先生の存在がとっても大切だなとつくづく感じます。

コラム78 先生との取り組み──家庭から学校へ──（小2男子の保護者）

幼稚園年長で緘黙と緘動がありました。下の表は小1での取り組みです。先生との取り組みと友達K君との取り組みを組み合わせて、最初は家庭から、そして少しずつ場所のステップをあげて最終目標の学校の教室へと移していきました。10月からは、パソコンルーム（PR)と教室をお借りしました。

	5月	6月	7月	8月	9月	10月	11月
先生と コラム78	（電話）	家庭訪問 電話 手紙交換	家庭訪問 コラム90			PR① PR② PR③	PR④
K君と			コラム99	自宅 近所 公園 プール		教室① 教室② 教室③	教室④ 教室⑤ コラム100

PR：パソコンルーム

放課後の取り組みの設定をするまで

　小学校に説明して部屋を借りる、子どもに提案してやろうかなという気持ちになるようにうながす、学校でほかの児童に会った時の説明など「放課後の教室」の取り組みは、かなり設定がたいへんでした。『場面緘黙児への支援』4)はカナダのものですが、外国では保護者が毎日学校まで送り迎えするのが一般的と聞きますので、この方法が日本よりやりやすいのではないかと思います。また日本でも送り迎えがある幼稚園の場合は取り組みやすいと思います。

　小1の1学期、担任の先生には、お手紙や電話また直接お会いして「場面緘黙症」について理解していただき、お手紙交換、電話、家庭訪問などで子どもと親しみをもつことをしてくださいました。1学期の終業式、担任の先生は自宅に遊びに来てくださりKnet資料をお渡ししました。私は夏休み中に『場面緘黙児への支援』の方法を理解し、担任と教頭先生に、学校内の部屋を放課後貸していただくお願いのお手紙を書きました。9月初めにスクールカウンセラーとの面談で、「教室に似ていないプライバシーが守られた部屋がよい」と言われましたが、お借りする部屋の調整に時間かかり、パソコンルームにいきつくまでに1カ月もかかってしまいました。

　子どもへの提案の仕方やタイミングも難しいと思いました。子どもに一度拒否されると、次に受け入れるまでに時間がかかってしまいます。息子は夏休みにたくさんチャレンジし自信をたっぷりとつけ、2学期の初日に出席のお返事は絶対できるとはりきって学校へ行きました。しかし、できずにとても悲しく悔しい思いをして帰って来ました。心の底から話せるようになりたいと息子が思ったこの日の二人きりの時間に提案しました。

　私「1年〇組にみんながいるとキンチョーする？」息子「うん」私「お母さんと二人だけだったら、キンチョーする？」息子「しない」私「じゃあ、今度お母さん、学校が終わった後教室にいくから、そこでいっしょにおしゃべりしようか？　それならできそう？」息子「うん！」と息子は言いました。

　そして、実際私が学校に行くととても目立つことがわかりました。今はどこの学校も防犯、安全に過ごすため、立ち入り許可の受付や保護者カードを身につけるようになっています。この大きな保護者カードを首からさげるので、子どもたちからすぐに名前を覚えられました。「どうしたの？」「どうしていつもくるの？」「〇君のお母さん、また来てる〜」と息子の目の前で言われたこともありました。そのような時は「ちょっと用事があるの」とさらりと答えてきました。放課後の保護者訪問は目立つので、たいていの緘黙児は嫌がると思いますし、初回うまくいかないともう二度とできなくなってしまうのではないかと思います。子どもたちから不自然に見えないようにあらかじめ何か用事やPTAの活動、先生のお手伝いなどの理由を用意して行くのもよいのではないかと思います。「友達K君との放課後の取り組み」（コラム100 参照）の時、K君には、彼が意識しないように彼のお母さんと相談して「お母さんは今日仕事が遅くなるので、〇君のおばちゃんが学校に迎えに行くね」と話してもらいました。

　また、学校全員の先生に伝わっていなくて、教室にいることを注意されたこともありました。緘黙児はちょっとしたことで、緊張してしまいますのでこのようなことはないようにしたかったのですが、学校はたくさんの先生がいらっしゃるので、取り組みを学校全体にお伝えいただくことはとても難しいことと思います。学校での取り組みを始めるなら、平日の放課後でなく、人が少ない夏休みや春休みや休日から入る方がスムーズにいくかもしれません。

　取り組みでは、「少しずつ」「無理しない」「次回に楽しみをとっておく」ことを基本にしてきました。曜日を決めて取り組み、初めは時間を10分と短くして「もう少しやりたいな。来週にまたやりたいな」と楽しみにつなげる工夫をしました。

先生との取り組み

5/23	先生から電話があり、母親のそばで嬉しそうに聞いていました。
6/20	家庭訪問で、1時間程子どもと母親と遊びました（ジェンガ・外でボール遊びなど）。先生の前で、母親と普通に会話できるようになりました（コラム90参照）。
6/22	先生とお手紙交換開始。子どもは、先生のことをたずねる内容の手紙を書きました（お誕生日はいつですか？　血液型は？　など）。仲のよいお友達を席の隣にしてもらいました。
6/30	先生からの電話に出て、「もしもし」と「うん」と相づちを打っていました。先生に対して初めての発話です。
7/20	先生が自宅に遊びに来られ、お友達のK君、母親といっしょにジェンガで遊びました。お友達と子ども、次に先生と子どもで、糸電話で会話しました。
7月頃〜	お友達のK君やK君の家族、近所の子どもたちとたくさん遊びました（コラム99参照）。夏休み中に先生にKnet資料と学校内の部屋を借りるお願いの手紙をお渡ししました。
9/2	放課後の取り組みについて息子と話しました。
10/2 PR①	親子で放課後のパソコンルーム（30分間）（先生は途中から入室。学校内で最もプライバシーが守られた部屋）放課後の取り組みの初回です。先生、母親、子どもで初めはあやとりをしました。そのあと、先生がなぞなぞをいくつか出しました。「ほしはほしでも食べられるほしはな〜んだ？」と言われ、息子は小さな声で嬉しそうに「うめ」と言いました。これをきっかけとして先生に親近感が増したようで、お手紙交換でふざけた絵を描くようになりました。席を仲のよいグループでまとめてくださり、教室でも困ったことがあると先生に言えるようになってきました。
10/11〜	毎週、パソコンルームの取り組みとは別の曜日に、友達K君と放課後の教室の取り組みを始めました。全5回（コラム100参照）
10/23 PR②	先生と親子で放課後のパソコンルーム（40分間）。先生、子ども、母親がパソコンに向かって並んで座り、あいうえお画面を使って名前を書いたりして遊びました。
10/30 PR③	放課後パソコンルーム（30分間）。先生が来られるまで、息子とパソコンをしました。10分ほどして先生が来られて、私が抜けました（前日、息子が希望しました）。
11/6 PR④	先生と2人だけの放課後のパソコンルーム（最終回40分間）。「今日は最後だから」と息子に言ったら、ムシキングカードホルダーを先生に見せたいと持って行きました。先生は、「たくさんお話ししてくれました」と涙ぐんでおられました。
その後	教室で先生に短い応答ができるようになってからは、先生は少しずつ話しかけを増やし、会話が持続するようにしてくださいました。

②ビデオを用いた放課後作戦「イメージ・トレーニング」

　先生に許可を得て、放課後や休日に校内や園内でビデオ撮影します。教室で自分が実際に話しているところを見て「学校という場面で自分が話せた。返事ができた」ということを確認することが、ステップアップになります。「あと一歩」のところまで来ている子どもは、ビデオで自分が話しているのを見て「できるんだ！」と自信をもち、次の一歩が踏み出せるかもしれません。この方法は、英国のSMIRA（スマイラ）代表のA.スルーキンさんから、SMIRA会員がアドバイスを受けた時に聞いた方法です。

コラム79 校内で自分らしく遊べることを目標に （小5男子の保護者）

　小1から緘黙と緘動があります。今まで、学校での取り組みは頑として聞き入れなかった息子なのですが、さりげなく「そうやって教室で挑戦してビデオを見るイメージトレーニングがあるのだけれど」と話してみると、「教室は広すぎるから抵抗があるけれど、（いつも給食を食べている）教材室ならやってみてもいい」という返事が返ってきました。小5になって「学校で動けるようになりたい」「変わりたい」という気持ちが高まってきていたので、タイミングもよかったと思います。息子がプラス思考になっているときにトライする価値があるよう思いました。息子は緘動がひどいので、まずは少しでも自然にふるまえて「学校で動けた自分」を見せてあげれたら嬉しいなと思いました。素の自分が出やすいように、妹を同席させました。今の担任の先生には2年生の時に、息子の了承を得て日常生活の息子のビデオを見ていただいたことがあります。息子の先生にお話しして、教材室をお借りすることをお願いしました。

　1回目、初めは口パクでしたが、次第にささやき声になり、笑い声は抑えて「ぐふふっ……」という感じではありましたが、妹と二人で存分に遊んできました。最初はやはり緊張がみられ、セッティングもできなかったので、ビデオ撮影はあきらめるつもりでいたのですが、二人でギャグのようなことをして楽しそうに遊びだしたので「そうだ、ビデオ持ってきてたんだよね〜（緊張させないようにすっかり忘れてたフリをしました）。せっかくだから撮ってみる？」と言うと、さらにのってきて、ビデオを撮ってはすぐその場で再生して自分たちのギャグを見ることを繰り返し楽しんでいました。帰宅した息子は「学校内であんなに飛び跳ねたり、遊んだりしたの初めてだったから 楽しかったあ。また行こう」と言いました。今度は「学校内で勉強した」と先生に自慢できるように教材室で、私といっしょにドリルをやりたいと言い出しました。「とってもよい案だね」と賛成し、早速今朝、連絡帳に来週も部屋を貸してくださいとお願いしました。学校を出る時には教頭先生が見送ってくださったのですが、教頭先生の前でも教材室の雰囲気そのままに、妹にふざけてちょっかいを出して素の自分を見せていたのには驚きました。「夏休みの間にも学校に行きたい」とも言い出しています。初めての取り組みは、まずまずの成果があったかなと喜んでいます。

（追記）

　挑戦したいという本人の強い意志で、全校生徒の前で壇上に上がり表彰状を受け取ることができました。担任の先生、両脇でサポートしてくれるお友達と、1週間毎日受け取る練習をしました。教育センターの先生、校長先生、教頭先生も協力してくださいました。息子が緊張に打ち勝ち、自分の意志で決めたことをやり遂げた姿に、私は嬉し泣きしてしまいました。（数ヵ月後加筆）

コラム80　放課後の教室でビデオ撮影、先生にも見ていていただきました（小2男子の保護者）

　息子は幼稚園年長から緘黙があり、小1でかなり回復したものの、2年生になり一度も教室で声が出ていなかったのです。放課後の教室でお友達、私、息子の3人でのビデオ撮影を2回。息子と私だけのを2回。小2の1学期で計4回しました。初回は教室に入るなり、友達のK君がたくさん今日の出来事を私に話し出して、息子も我慢ができずに、5分後には話し出しました。初め知らせずにこっそり撮りました。途中でビデオに気付きビデオの前でふざけはじめました。お友達といっしょに宿題の音読、運動会の応援歌を歌っている様子を撮りました。2回目は、子どもたち二人が先生役になって、教壇に出て、先生のまねをしている様子を撮っています。3回目は、私と二人きりだったので、「何かしたいことある？」ときいたら、「はい！　元気です」をやりたいと。子どもが一番気になっている朝のお返事です。返事の様子をビデオで撮って、その場で見返して、「またやりたい！」とさらに大きな声で返事をして、また見返して満足げでした。4回目も私と二人だったので、やりたいことをやっていいよと言うと、黒板に出て算数のひっさんを書いて、「みなさん、どうですか？」と言いました。

　息子に「どれか、先生に見せたいのある？」ときいたら、「はい！　元気です！」を見せたいと。次の週の放課後、先生に教室でビデオを見ていただき、その次の週からは先生の前で音読する取り組みにつなげていきました。

（追記）

　1学期、先生とお友達の協力を得て、少しずつステップをのぼっていきました。そして2学期、教室で少しずつ声が出るようになりました。息子がこれまでずっとできなくて最も悲しい思いをしてきた朝のお返事ができるようになり、このことは息子に大きな自信をつけました。現在は、授業の発表もできるようになってきており、交友関係も広がってきています。

　学校という場面で少しずつステップをのぼってこれた背景には、息子の心の力が少しずつ高まってきたことが大きいと思います。どうしても学校で話せるようになりたい！という強い意志を持ち続けることができたのは、家庭でのはたらきかけと遊戯療法（全20回）という自分を表現する場所があったこと、そこで不安に対処する力が育ってきたためと思います。そして、何よりも見守ってくれる人の存在が大切だと感じています。現在は、小グループ活動を通してコミュニケーション力を育てるためにがんばっています。（数ヵ月後加筆）

③お母さんとの春休み作戦・夏休み作戦
　緘黙児は新しい環境に慣れるのが苦手なため、ウォーミングアップが大切です。学校や校庭、園舎や園庭にできるだけ多く足を運びましょう。入園入学前に、先生方に「場面緘黙」について理解してもらい、不安の少ない環境を準備できるといいです。春休み中に、知っている子どもと同じクラスにしてもらうこと、理解のある先生を担任にしてもらうことを学校や園にお願いしましょう。柔軟に対応してもらえるとは限りませんが、子どもには配慮がいることを伝えます。入園入学前に友達や知り合いを作っておくこと、先生に会って慣れておくとよいでしょう。先生や校内（園内）を写真やビデオに撮らせてもらい、家で何度も見て慣れておく方法もあります。夏休みの取り組みも、9月からの学校生活をスムーズにします。Knet資料No.7が役立ちます。

コラム81 入園前にやってよかったこと（4才男子の保護者）
　息子が年中から入った今の園では、病院のアドバイスなどに沿って比較的柔軟に対応してくれるので、助かっています。

①入園前の体験入園で、息子と相性のよかった先生を担任にしてくれる。
②入園前の春休み、母親、息子、先生の3人で教室で遊んだり、下駄箱、ロッカーなど一通り教えてもらう。だいぶ慣れたら、入園式の会場やほかの教室も見に行き、ほかの先生にも遊んでもらう。
　→初め緊張していたけれど、最後のほうはスキップで探険。笑い声も出る。
③同じく入園前の春休み、親子で園庭で遊ぶ。虫捕りなどしているところに少しずつ先生が話しかけてくる。
　→先生に走って虫を見せに行く。最後2人だけの時、てんとうむしを探しながら「どこ？」と小さい声が出る。
④始業式の日、「新入園児は転校生のように後から教室に入り紹介される」方式を「初めに息子が教室にいて、在園児の登園を受け入れる」方式に変更してもらう。
　→教室に入るとき固まることもなく、自然に友達を受け入れられる。

　「休みの日や放課後、親子で園で遊ぶ」はとても有効な取り組みで、また園にお願いしようと思っています。
　困ったことは、外部から来る先生（体操の先生）に「場面緘黙症」への理解を十分図っておらず、体操の時間に見本になり叱咤激励されたことです。「できない」ことをジェスチャーでも理解してもらえず、ヒステリー状態になってしまいました。その後、その先生にも資料を渡し、ことば以外の面でも対応に配慮が必要なことを理解してもらいました。

第3章　実践

コラム82 中3夏休みの取り組み（中3男子の保護者）

学校に許可をとり、夏休みに母親と子どもで学校に行きました。

《1回目》被服室で、母親と会話練習

中1の頃から、校内で母親と唯一話ができるのは、校舎のすみっこの誰も来る心配のない個室に入った時だけでした。息子は初め、廊下を人が通ることに神経質になっていましたが、次第に慣れてきて、それほど接近しなくても聞こえる声で話ができるようになりました。会話練習の計画とスモールステップの方法（Q66参照）について息子と30分ほど小さい声で話し合いました。

《2回目》被服室＋付近の廊下で、母親と会話練習

廊下を歩きながら話すことにチャレンジしてみました。帰り際、昇降口付近で、他学年の生徒が見える場所でも小さい声で話ができました。でも、「この先、何人かの先生たちと話せるようになったら、親しい友達とも話す練習をしてみたら？」と提案すると、「ぼくがしゃべると今までの友達との関係が崩れてしまうからいやだ」とのことでした。

《3回目》教室＋教室付近の廊下で、母親と会話練習

3階の教室に行ってみましたが、全く人がいなかったので、むしろ被服室より抵抗なく話ができました。「このまま、誰もいない教室で延々と話してもあまり意味がないね。この際だから担任の先生に頼んで、夏休み中に教室で先生との会話にチャレンジしてみよう！」という話になりました。

《4回目》教室で、担任の先生＋母親と会話練習

担任の先生の都合のよい時間帯をお聞きして、教室で3人で練習してみました。先生と向かい合う形で座り、無事発声することができました。私がいるほうがかえって緊張するとのことでした。

《5回目》教室＋校舎内のあちこちで、母親と会話練習

学校での取り組みとしては少し間が空いた形になったので、無理せず、校舎内をぶらぶらしながら話をしました。あまりにも暑いので、冷房の効いている職員室でやらせてもらうことを息子に提案してみました。暑さにいいかげんうんざりしていた息子は、わりにすんなりOKしてくれました。

《6回目》職員室で母親と会話練習

初め抵抗があり、入室するまで時間がかかりました。日直の先生は職員室の真ん中寄りにいらっしゃったので、端っこの一番目立たない場所を使わせていただきました。先生たちの本棚の上に書類などが山積みだったりして、先生たちから顔の見えないちょうどよい練習場所が確保できました。担任の先生に慣れたら、次はどの先生となら話しやすそうかなど息子とささやき声で話をしました。

《7回目》職員室で母親と会話練習

入室は前回よりすんなりできました。隅っこの目立たない場所は確保できなかったので、前回より若干目立つ場所で練習することになりました。息子は落ち着かない様子で、「もう止めようよ」と言うので、早めに切り上げました。

《8回目》職員室で、担任の先生＋母親と会話練習

担任の先生が日直当番で学校にいらっしゃる日に、担任の先生と練習させていただけるようにお願いしました。職員室の若干目立つ場所で、ほかの先生たちも近くにいらっしゃったので、息子の視界に入らないように先生たちに背を向ける形で座らせました。「旅行はどこに行ったの？」「○○まで、車で何時間くらいかかった？」「夏休みの宿題は全部できた？」など。周囲に先生たち何人かいらっしゃったため緊張気味でしたが、小さな声で答えることができました。これを2学期の会話練習へとつなげていきました（**コラム91**参照）。

④非言語的コミュニケーションの促進

　ことばを使わないコミュニケーションばかりしていると、話せなくなってしまうのでよくないと考えるのは間違いです。いつもメモ帳をポケットにいれておいて、友達と筆談している子どももいます。カードや音声ボードを使うのもよいでしょう。先生に絵や作品を見てもらい、何かコメントしてもらいましょう。子どもが家で撮った写真やデジカメ作品を見てもらいましょう。非言語的コミュニケーションを行なえるようになったら、このステージにとどまらず、少しずつ発話をうながしていきましょう。

コラム83　放課後、先生に子どもが作ったお話を見ていただきました（6才男子の保護者）

　息子が初めて書いたお話『イカ大王の物語』を、放課後先生に見ていただきました。教室で息子が先生にノートを差し出すと、先生は床に座り込んで、息子の書いた文章を1行1行声を出して読んでくださいました。基本的なことから内容についてまでほめてくださり、息子はにんまり。それから内容に関して質問（オープン形式）を複数されたのですが、息子は私の前で先生に向かって、小さな声で短く答えることができました。これまで放課後の教室では先生に耳打ちでささやくことしかできなかったので、ちょっとびっくりしました。その後、息子は私を教室の別の場所に連れて行き、わざと先生に聞こえるような声で話を始めました。不安がなくなり気が大きくなって、自分が話せるところを先生に見てもらいたかったのでしょう。先生のちょっとした態度（座る場所や目線の高さ）や接し方で、子どもから引き出せるものが随分変わってくるようです。先生次第で、緘黙が軽くなったり、重くなったりすることは、大いにあり得ると思いました。やはり、子どもは先生が自分に興味をもってくれるのが嬉しいのです。

コラム84　「ことばカード」を作った時のこと（小1男子の保護者）

　発達教育センターの教育相談で、ことばカードを使ってみてはとアドバイスを受け、息子といっしょに作ったことがあります。白い厚紙を名刺サイズにカットして息子に「一番伝えたいことばを書いてみて」と渡しました。「はい、元気です」と息子は書きました。これは、朝の出席のお返事のことばです。2枚目には「いえるよ」と息子は書きました。私は、びっくりしました。「トイレに行きたい」とか「やめてください」などのことばを書くと思っていたからです。息子は、本当はしゃべれるんだよということをみんなに伝えたかったんだと、私はこの時に初めて知りました。3枚目のカードを息子に渡して「伝えたいことばがあったら書いてね。無理して書かなくていいよ」と、その場を離れました。私がそばにいると、息子が書きづらいと思ったからです。息子が私の所へ持ってきた3枚目のカードには「ありがとう」と書かれていました。これにもびっくりしました。場面緘黙症Journalの記事[20]にも、親切にしてもらった人に「ありがとう」と伝えたかったというものがありました。「本当にそうなんだ。親切にしてもらった時に本当はとても嬉しいんだ。そして本当はその気持ちを伝えたいんだ」と改めて確認しました。先生にも息子の気持ちを知っていただきたく、このことを連絡帳に書きました。先生もわかってくださって「恥ずかしがり屋さんなだけなのよ」「親切にしてくれてありがとう」と息子の代わりにお友達に言ってくださいました。この3枚のことばカードはもう今は要らなくなったけど、大切にとってあります。

⑤テープ録音・ビデオ録画作戦

担任の先生と信頼関係ができてきたら、子どもの本読みをテープに録音して聞いてもらったり、家庭での様子をビデオに録画したものを見てもらったりしましょう。子どもに相談して了承を得ます。先生に連絡帳にコメントを書いていただきましょう。

コラム85　音読をテープに録音（中3男子の保護者）

中1の1学期「せっかく上手に読めるのに、聴いてもらわないのは惜しいから、家でテープに録音して先生に聴いてもらおう」と話をし、なんとか息子の了解をとりました。「正規の評価とは関係なく、本人が納得できるように」と担任の先生にお願いし、国語と英語の教科書の音読を、各教科担任に聴いていただきました。息子の日記には、テープを出せて嬉しかったと書かれていました。息子はその頃「自分の声は変だ」と気にしていましたが、テープを聴いた先生たちから「いい声だね～」「読むのじょうずだね～」と言っていただいて、すっかりその気になって、音楽の歌のテストも録音して聴いてもらうことになりました。音楽の先生からは丁寧なお手紙をいただき、ますます喜んでいました。

コラム86　留守電録音・呼吸法を用いた会話練習（臨床心理士）

幼稚園時から場面緘黙の中3の女の子が行なった試みです。彼女は学校で話せるようになりたいと強く願っていました。取りくみは、母親・学校・心理士で、面接と電話やfax、メールで情報交換しながら進めました。1学期、心理士が先生と子どもの短い会話の原稿を作り、担任の先生の声を子どもの携帯電話の留守番録音にいれてもらい、それを子どもが家で聞いて会話練習するプログラムを行ないました。原稿はyes-no形式からはじめ、次第に複雑な物を用意しました。毎日会話練習前に10秒呼吸法＊を2～3回行ない、練習ごとに不安レベルの得点（1～5点）をつけてもらいます（第3章⑩参照）。初めは、声を出さず原稿の選択肢を指さす→自分の部屋で一人で声を出す→部屋のドアを開けて声を出す→母親の前で声を出す→先生役をお母さんがする、と進めました。彼女は中2より先生と交換ノートをしており、先生のことをとても慕っています。先生の電話に出る、最終的には声を出すことを目標にしました。不安レベルが2点以下になったら母親と子どもが相談して次のステップを考えました。現在そのステップの途中にあります。

あわせて、クラスに理解を求める全体指導を行なうことを子どもに提案し、彼女がいない時に行なうことで了承を得ました（Q55参照）。クラスメイトからは、暖かい感想が彼女に届けられました。彼女は自分がいない時に自分の声をクラスの人に聞いてもらいたいと、テープに自分の声を吹き込み、クラスのみんなにテープを聞いてもらいました。「たくさん話しかけてください」という原稿は彼女自身が作りました。

（追記）
2学期、市の適応教室（少人数）で指導員と自然な会話が楽しめるようになり、学校での発話も少しできました。（数ヵ月後加筆）

＊10秒呼吸法
リラックスして緊張をほぐすための呼吸法。「1 2 3で鼻から息を吸い込み、4で息を止め5 6 7 8 9 10で口からゆっくりと吐き出す」腹式呼吸です。お腹に手を当て、お腹の中の空気を確かめながら練習します。吐く時に「ドキドキ」「緊張」「心配ごと」を全部吐き出すイメージを浮かべると効果的です。ほかにも簡単で有効なリラクセーション法があります。

コラム87 トーキング・トイについてのお話 （英国在住・6才男子の保護者）

　トーキング・トイ（Talking Toys）は、自分の声をそのまま録音、すぐに再生できるおもちゃですが、英国のSMIRA(スマイラ)でも小さな子どもに勧めている玩具です。緘黙児が自分の声を録音して、自分の声を客観的に聞くことに慣れるだけでなく、第三者に録音した声を聞いてもらうことで、人が自分の声を聞くことや、人の前で自分の声を聞くことに慣れることができます。遊びながら、人前で話す不安を自然に減少させていく道具となるのです（残念ながら、うちは息子がぬいぐるみ系統を好まないので、まだ試したことはありません。親しい友達と遊ぶ場合は、トランシーバーや糸電話などもいいようです）。

　英国では、昨年BBC3で放映した『House of Tiny Tearaways』というシリーズ番組（すご腕の児童心理士タニアが、問題を抱える幼児を持つ家族3組を1週間番組のために特別設置した家に招待し、いっしょに暮らしながら問題に対処するという内容）で、3才半の緘黙児が登場。実際にトーキング・トイを使っているところが放映されました。ぬいぐるみのクマに「僕の名前はチャーリー」と録音しておき、皆の前でボタンを何度も押しました。ほかの家族にはあらかじめ緘黙症の説明がしてあったので、チャーリーの声が聞こえると、皆で「いい声だね」「お話が上手だね」などとほめて、チャーリーも嬉しそう。このエピソードから、チャーリーの周りに対する親近感が増してきたように感じました。1週間の間に、チャーリーは母親経由でタニアと話をすることに成功し、最後の日にはほかの母親に絵本を読んでもらっている時に、自然に短い答えが出るまでになりました。周りが「しゃべらなくても普通」という態度で自然に接したこと、少しずつ話ができるようにうまく支援していったことがステップアップの鍵だったと思います。学校もこれくらい少人数で温かい環境だったら、進歩も早いだろうなと思いました。

僕の名前はチャーリー

⑥「ことばの橋渡し役」を使う方法

　米国のSMart(スマート)センターでは「ことばの橋渡し役」を用いて、非言語的コミュニケーションから言語的コミュニケーションへとうながす方法が行なわれています（Knet資料No. 4 より）。

　物の場合：小さい子どもの場合、家でお気に入りのぬいぐるみや指人形に話す練習をします。そして、外出時や学校にそれを持っていって、その人形に向かって小さな声で話しかけるようにさせます。初めは人形にささやいていたのが、少しずつ距離をのばしていき、さらに人形を介して少しずつほかの人と話をするようにし、最後にはほかの人に対しても声を出せるようにしてきます。

　人の場合：保護者やすでに話すことができる人を「ことばの橋渡し役」にした間接会話をうながしましょう。例えば、先生の問いに子どもが直接答えられない時は、緘黙児は母親の耳元で小声でささやいて、母親が先生に答えます。初めは、先生から見えないところまで移動する必要があるかもしれません。次第に子どもは、母親に向かって自分が話すのを先生や友達に聞かれても平気になるでしょう。だんだんと声が大きくなるよう母親との距離を離していき、先生や友達に直接答えることにつなげていきます。

コラム88　人から人へのスライディング・イン手法 （英国在住・6才男子の保護者）

　英国のSMIRA(スマイラ)では、『場面緘黙児への支援』[4]の方法とは少し異なり、「場所」はそのままで、そこに「人」を少しずつ招き入れる方法をよく用います。英国の緘黙症治療の第一人者、マギー・ジョンソンさんの幼児・低学年用の治療法で、母親を橋渡し役として徐々に先生や友達と話せるようにする「スライディング・イン」という方法です[22]。まず、子どもが学校の一室で母親と遊びながら普通に会話ができるように慣らし、次にキーワーカー（コラム21 参照）となる先生を加え、この先生との信頼関係を築いていきます。この加え方、というのがものすごく細かいステップの積み重ねなのです。

①まず始めはドアを閉じておいて、先生はドアの外にいる。
②先生はドアの外にいるが、戸を少しだけ開けておく。
③先生はドアの外、徐々に戸を大きく開ける→先生が部屋の中に入るが、子どもに背を向けて違うことをしている。
④先生と子どもの距離をだんだん短くしていき、徐々に遊びに加わるようにする。

　このように、細かなステップが設定されています。子どもの様子を見ながら、一度にどの程度ステップを踏んでいくか決める訳ですが、この治療法だけをみても、本当に細かな配慮をしなければならないことがわかります。でも、そうかと思うと、夢中で「フルーツバスケット」をしていた緘黙児が思わずポロッと発話して、それから一気にステップアップしたというケースもあるようです。

2 教師との取り組み

⑦先生との交換ノート

　緘黙児の中には、自分のことを話した時の相手の反応が怖い場合や具体的に何を話してよいかわからないことが、緘黙の症状に影響している場合があります。ノートや手紙交換など文字や絵を媒体としたコミュニケーションを十分行なってから、それを発話へとつなげていきます。先生は連絡ノートに毎日ひとこと書き込みましょう。最初は自己紹介、その日の出来事や子どものポジティブな点について書きます。そのうち、選択肢を用意した質問、そして穴埋め式の質問をおり交ぜるとよいでしょう（Q48参照）。子どもから反応がない場合でも、毎日の小さな積み重ねがきっと次のコミュニケーションへとつながっていきます。

コラム89　先生との交換ノートで会話のキャッチボール（中3男子の保護者）

　中3の2学期、スクールカウンセラーとの相談で、担任の先生からうちの子の生活記録ノートを借りてきていました。先生との日記のやりとりを読んでいて気づいたのですが、先生からの質問型のコメントに答えることに躊躇し、わざと話題をそらすことがあるようでした。どうやら、自分のことを伝えるのが恥ずかしいらしいのです。例えば、「ビデオを見て過ごした」という日記に、先生が「何のビデオを見たの？」と返すと、それに答えることに強い抵抗を感じてしまうといったことです。

　うちの子にはさまざまなことに対するこだわりがあります。「興味の範囲が狭い」「こんなことをする人は自分のほかにはいないという思い込みがあり、自分の世界を人に知られるのが恥ずかしい」などです。そういうこだわりが、先生との会話場面でも邪魔をしてどう答えたらよいかわからず、黙り込んでしまうことの原因の一つのようです。

　「自分のことを全部隠そうとしたら、会話は成り立たないよ」「いつも、作り話やうそを言わなければならないことになるし、どうやって答えようか考えるのに時間がかかってしまう」「自分のことを正直に伝えても何も恥ずかしいことはないよ」と話していくと、少し納得したようでした。「自分のことを伝えるのも、最初は恥ずかしくても、回数をこなすうちにきっと慣れるから、これからは日記での先生の質問に正直に答える練習をしていこう」ということで、息子の了解を得ることができました。

　これまでは、日記を書くことにプレッシャーを感じないように、なるべく当たり障りのないコメントを書いてくださっていたのですが、それからは、日記に質問型のコメントをどんどん書いていただくように、スクールカウンセラーから先生にお願いしてもらうことになりました。「自分のこと」を伝えるのは、ゆっくり考えて書く日記でさえ抵抗があるということで、即興で答えなければならない会話場面で取り組むのは、もう少し先の課題と思いました。

　その後、日記のやりとりの中で、うまい具合に会話のキャッチボールが続くようになり、「先生との会話練習」や「友達とのメール→電話→会話練習」の取り組みにつながっていきました（**コラム91**参照）。

第3章　実践

⑧家庭訪問しましょう

　家庭訪問をして、子どものお気に入りのおもちゃを見せてもらったり、いっしょに遊ぶのは、とてもよい試みです。リラックスできる楽しい遊びをしましょう。まず先生がいるところで、子どもがお母さんと普通に話すことに慣れるとよいでしょう。子どもはやがて先生と直接話すことができるようになります。たとえ声が出なくても、先生に親しみをもつことは、学校での安心感を高めることができます。

コラム90　家庭訪問で先生と遊んで（小2男子の保護者）

　小1の1学期家庭訪問は、順番を最後にしてもらいました。まずは、リビングで母親と息子と先生の3人で「ジェンガ」をしました。「ジェンガ」は話さなくてよい、という点と崩れた時にうっかり声が出ないかというねらいもありました。先生はジェンガは初めてで「どれを抜いたらいいの？」ときいてくれて、息子が内心得意げに、指さしをしていました。その後、3人でドッチボールをしました。身体をたくさん動かして、気分も高まって、息子は先生の目の前で、私に普通に話しかけました。先生は息子の声を初めて聞かれて、嬉し涙を流しておられました。

　終業式の日にも先生が自宅に遊びに来られました。大仲よしのお友達と先に遊んで気分を高めました。この時は、先生と息子は糸電話を使ってお互い小さな声で会話をしました。最初お友達と糸電話をして、次に先生が「糸電話は大きな声で言わなくて、こしょこしょって小さな声で言うんだよ」と言われたら、嬉しそうにこしょこしょ言って会話がとぎれると、私に「次なんていうの？」と大きな声で質問していました。

　小2の初めての家庭訪問は息子が普段好きな「かくれんぼ」をすることにしました。今年の先生の方が緊張度が高く、昨年みたいに面と向かってジェンガで遊ぶのはまだまだと思ったからです。仲のよいお友達がいつもわが家に遊びに来て、かくれんぼで遊びます。家庭訪問にはこのお友達も呼び、先生には家庭訪問でやりたいことなどを前もってお手紙に書いて伝えました。先生が来られると、お友達「こんにちは」息子「こ・・・」と言いました。それはふりしぼった声でした。絶対絶対絶対言うぞ！　と心に決めた声でした。先生はすぐに「よく言えたね〜」と息子の頭をなでて、手を握りました。先生は嬉しそうな表情でした。「かくれんぼ」は、先生の姿が見えないので、小さな声で「もう、いいよ」と言えました。この「もう、いいよ」が少しずつ大きくなりました。ある程度慣れたところで、息子は「鬼」になりました。わが家は1階と2階で会話できるインターホンがありますので、2階から1階に隠れている先生とお友達にインターホンを使って数を数えました。これだと、小さな声でも1階に聞こえます。「1．2．3．4……20，もういいかい？」「もう、いいよ〜！！」先生は意外なところに（とてもわかりやすいところに）頭を隠して隠れていました。息子は、振り返ったら先生がおしりを向けて隠れていて、思わず「おった！」と、とても自然な声で言いました。本当にうっかり出たことばでした。かくれんぼで先生の姿が見えないので、その状態に慣れると、普通通りにべらべらしゃべるようになりました。かくれんぼの後、大きな風船で遊びました。とても自然な笑い声で息子は風船をポンポンしていました。先生は「こんなに笑い声たてるんですね」としみじみ息子の様子を見ておられました。

⑨先生とのスモールステップ

　家庭から学校へ、校内の個室から教室へと、安心できるコミュニケーションを移していきます。保護者や友達に協力してもらいましょう。子どもに無理に話させようとしないで、非言語的コミュニケーションから発話へと少しずつ進めていきます。

　保護者が先生と連絡を取りながら行なった、取り組み例です。

コラム91　中3での取り組み（高1男子の保護者）

(1) これまでの経過

　息子は2度の転校がきっかけとなり、小3から場面緘黙でした。家庭で荒れることが多くなり、小6で児童相談所の医師からアスペルガー障害の傾向があると指導を受けました（コラム10参照）。

　中学校入学で緘黙の状態が悪化、登校を嫌がるようになり、中1の5月からはSSRIの服薬を始め（コラム74参照）別室登校、6月にはほぼ教室に入れるようになりました。中1の4月から先生との生活ノートの交換をして、コミュニケーションの練習と先生との信頼関係を深め、そのほかにも様々な配慮（コラム58　コラム67参照）をしていただきました。中1の1学期に、音読を家でテープに録音して先生に聞いていただき（コラム85参照）、その後は、国語や英語の音読テストは、学校の個室で聞いていただきました（年間2〜3回）。中2の終わりごろにはクラスにすっかりなじみ、身ぶり手ぶりのコミュニケーションを楽しめるようになっていました。

　中3修学旅行を楽しめたことで自信をつけ、中3の5月より「高校入試の面接試験の練習をする」という目的でやる気になったため、学校での会話練習がスタートしました。

(2) 会話練習の目標設定について

　「認知行動療法」30)の手法をまねて、母親が子どもに提案する形で、子どもの意思を確認しながら、その段階に応じて小さな目標を決めていきました。あまり先の目標について話題にするとプレッシャーがかかり拒否感が強くなるようなので、子どもが「やってみようかな」と思えるように、必ずできそうなことだけ提案するようにしました。どんな形で取り組みたいか細かいところまで子どもと話し合い、前もって先生にお願いしました。子ども自身が納得して取り組めるよう、不安レベルの得点化（コラム93参照）を試しながら、次のようなことを繰り返し話し合いました。

　「話すことへの恐怖を克服するためには、不安を感じる場面に少しずつ立ち向かっていくことが必要」
　「学校で話すことが苦手な子は世界中にいて、この方法で話せるようになった子がたくさんいる」
　「ゆるやかなステップの練習を数多くすることで、だんだん慣れて緊張しなくなっていく」

　年令が上の子の場合、子どもが「親にやらされているのではなくて、自分の意思でやっている」と思えることが特に大事なようです。失敗しないステップアップの方法を計画すること、勢いを維持するよう少しでも新しいことを取り入れ達成感を得られるようにもっていくことなどにも気をつけました。また、取り組みの結果をその都度子どもに確認し、挑戦したことがクリアできた場合はいっしょに喜びあい、時にはすぐにごほうびを買いに行くなどしました（コラム107参照）。成功したうれしい気持ちが消えないうちに次のステップについて話し合い、また、うまくいかなかった場合はその原因を子どもと話し合い、先生に設定を改善していただくようにしました。

(3) 中3での取り組みについて

大まかな取り組みは次の①〜⑦です。

① 「担任の先生との個室での会話練習」を5月から始めました。答えやすい質問や緊張の少ない体の位置について、前もって先生と細かい設定まで相談し、少しずつステップを進めました。スクールカウンセラーの助言も役立ちました。

② 「夏休みの学校での会話練習」では、学校に許可を得て、母親と取り組みました。

③ 「友達とのメール・電話練習」は、担任の先生との会話を楽しめるようになってきた9月、自宅で組み入れました。この頃、中学入学以来一声も発していない息子にとって何より怖いのが「最初に声を出した時のクラスメイトの反応」でしたので、息子の強い要望により「学校で声を出す練習を始めたこと、チャレンジを成功させるにはみんなの協力が必要なこと」を担任の先生からクラス全員に話していただきました。

④ 「担任以外の先生の個室指導」を10月頃、担任を持たない英語の先生を中心にお願いしました。2学期は学校行事が多く、担任の先生に時間をとっていただくのが難しくなってきたためですが、英語の先生との相性がよいこともあって⑤の教室でのステップにつなげることができました。音読やスピーチなどを行ない、③で交流のある友達を一人ずつ入れていって⑥へとつなげました。

⑤ 「英語の授業中の発声チャレンジ」では、最初に授業中の暗唱テストに挑戦し、先生にだけ聞こえるささやき声で発声に成功しました。個室で友達を加えた練習がステップアップし自信がついた頃に、発声トレーニングの場を教室に移していただくことを先生にお願いしました。英語は息子の得意科目で、1回ごとに息子と話し合いましたが、同じ授業中でも、ほかの生徒の注目や教室のざわつき具合、先生との位置関係や体の向き、発表内容や形式によって緊張度が異なることがわかりました。息子が挑戦したいと思う場面設定をその都度先生と相談し、お願いしました。

⑥ 「友達との学校での会話練習」では、授業中の列当てでの発声に苦戦する2月、個室や電話で声を聞かせることに成功していた友達と昼休みに話すことができました。

⑦ 「高校の先生との会話チャレンジ」では、⑥と並行して、進学予定の高校訪問も組み入れ、入学前に高校の校舎、職員室に慣れ、何人かの進学予定の高校の先生と話しました。

	5月	6月	7月	8月	9月	10月	11月	12月	1月	2月	3月
先生と コラム91			①					④			
								⑤			
										⑦	
親と				② コラム82							
友達と								③ コラム104			
									④		
										⑥ コラム104	

①担任の先生との個室での会話練習　全7回（5～9月）
　同年代の子と話すことに強い苦手意識をもっていたので、最初の段階では「先生からの質問に対して答えられるようにする」という目標にしぼりました。1回目は、「もし答えられそうだったら、声を出して答えてみてね」と先生から声かけしていただきました。台本のある形からない形へ、「はい、いいえ」で答えられる質問から一言で答えられる質問へ（「テスト勉強はどの教科が一番進んでいる？」「どの教科が一番好き？」など）、顔を見ないよう横並びで座る形から向かい合って座る形へ、その都度子どもと相談しながら少しずつ難しい設定へ移行するようにしました。調子がよい時の練習は5～10分くらい、調子が出ないときはさらに短時間で切り上げていただけるようにお願いしました。回数を重ねるごとに先生一人で会話内容を考えるのが難しくなってきたため、スクールカウンセラーにアドバイスしていただきました。「自分の世界を知られるのが恥ずかしい」気持ちが、会話場面で黙り込んでしまうことの原因になっていたため、中学1年のときから続けていた交換日記の中で「自分のこと」を伝える練習を積みながら（コラム89参照）、会話練習の際には「好きな食べ物」など当たり障りのないものや選択肢つきの答えやすい質問などを考えていただきました。また、スクールカウンセラーからのアドバイスを元に、先生が「何と言ってよいかわからない時の答え方」のカードを作ってくださいました（コラム55参照）。7回目（9月）そのカードを手に持って会話練習した時は、受け答えが少しやわらかくなり、先生に「レベルアップしたね」とほめていただき喜んでいました。

②夏休みの学校での会話練習　全8回　（コラム82参照）

③友達とのメール・電話練習（9月～卒業）　（コラム104参照）

④担任以外の先生の個室指導・友達も加えて（10～3月）
・英語の先生との1回目（10月）は1対1で、教科書の音読後、英問英答をしました。"Where do you want to go?"に"I want to go to China."と答え、たくさんほめていただいたことで自信がつき、音読テストは教室でできると言い出しました。
・2・3回目（11月）は、英語の先生＋M君と取り組みましたが、M君とはすでに電話で3回話していたのでそれほど抵抗なく発声できたようです。M君と離れた位置でやってから、近づき、横並びで顔が見えない状態から向かい合う形に、また音読から英問英答に移行する形をとりました。
・4回目は英語の先生＋M君＋S君にお願いしました。S君にはそれまで一度も声を聞かれたことがなかったため、M君の時よりだいぶ緊張したようですが、発声できました。
・国語の授業の1分間スピーチ（12月）を、個室で国語の先生＋M君＋卓球部のS君に聞いていただくことになりました。教科書の音読や単純な英問英答よりかなり難しいチャレンジになるため、息子の顔を見ないよう全員同じ方向を向いて聞いてもらう形をお願いしました。原稿は準備してあっても自分の気持ちが入るためだいぶ抵抗があったようですが、M君からの励ましもあって、長い沈黙の後しっかりとした声でスピーチができたそうです。
・高校入試の面接指導が始まる前に教頭先生から特別に指導していただきました。1回目は声が出ませんでしたが教頭先生とリラックスして過ごすことができ、2回目には声が出て、名前、出身校名、志望動機など、原稿を見ながら言う形から、原稿なしで言えるところまで練習できました。
・年明け、担任の先生による面接指導がありました。1回目、周囲に生徒がいない調理室で、2回目、ほかの生徒が自習をしている教室脇の廊下で、戸を開けて入るところからあいさつをして退室するところまで、他の生徒と同じやり方で指導していただきました。

⑤英語の授業中の発声チャレンジ（10〜3月）

・2学期1回目の英語暗唱テスト（10月）で教室での発声にチャレンジしました。授業中に一人ずつ教壇の先生の所に行く形で、ほかの生徒は自習してざわついており暗唱テストに注目していません。息子の希望で、次の生徒は後ろに待機せず、ほかの生徒たちの顔が息子の視界に入らないように背中を向ける形で、先生は耳に手を当てて少し近づいて聴いてくださいました。先生にしか聞こえないささやき声ではありましたが、中学入学以来初めて生徒のいる教室で授業中の発声に成功しました。

・2学期2回目の英語暗唱テスト（12月）では、次の生徒が後ろに待機し、他の生徒に横顔が見える形でチャレンジしました。朝不安そうにしていましたがクリアでき、何人かの生徒に声が聞こえたようです。個室での取り組みで親しい友達に声を聞かれることに少し慣れ、教室での暗唱テストでも数人の生徒に聞こえる声が出せたので、授業中の発声を本格的に目指すことになりました。

・授業中の「列当て」（列で順番に当てる）にチャレンジ（12月）しましたが、教室がシーンとしていると、先生がかなり接近してくださっても発声できませんでした。英語の先生には認知行動療法の資料をお渡ししました。

・英語の先生が、授業中ガヤガヤしている時に発声できるよう様々な工夫をしてくださいました。各自好きなペアを作ってじゃんけんし、プリントにある文型を使って互いに英問英答をするパターン、班毎にリーダーに英語で自由にインタビューするパターン、列ごとの英会話リレーゲームなど、息子のところには先生が来てくれて、先生にだけささやき声で言うことができました。

・「列当て」ではなかなか声が出せませんでしたが、ガヤガヤしている中での発声に7〜8回成功した後（1月）、先生がかなり接近し耳に手を当てると、かろうじて先生だけに聞き取れる声で、「列当て」で答えることに成功しました。この時の席は1番前でしたが、席替えで前から3番目の席になると「列当て」での発声は再び難しくなりました（2月）。それでも「授業中声が出せるようになりたい」という子どもの意志は強く、先生に「言ってみて」と声がけしていただくことや、答えるまで少し長く待っていただくことをお願いし、3月には小さな声で答えられるようになりました。

⑥友達との学校での会話練習（2〜3月）（コラム104 参照）

⑦高校の先生との会話チャレンジ（2月〜）

最初から質問が多くならないよう、先生の方からたくさん話していただくようお願いしました。初めて会う先生方だったため、数回会っていただくうちにそれほど抵抗なく話せるようになりました。高校の職員室で長い時間会話できたことが自信になり、卒業前に、中学校の職員室に一人で行き担任の先生とスラスラ話すことにも成功しました。

⑷　学校での取り組みを振り返って

　　中学3年での息子の取り組みは、入学時から長い時間をかけて先生やクラスメイトとの信頼関係を築き上げてきたからこそ可能だったと思います。そんな信頼関係や子どもの自信が育っていない時に、安易に「会話練習」を提案するのは、逆に子どもを傷つけることになるかもしれません。私がみなさんに伝えたいのは、先生たちが息子を理解し、本人の希望に沿って協力してくださったこと、周囲の理解が得られれば子どもの自己評価はこれだけ変わるということです。息子の場合は薬の効果もあったと思います。

　　中1の時「ぼくはいない方がいいんだね」と言っていた子どもが、卒業時には「僕は誰とでもうまくやれる」と自信を得て、「高校では何の支援もいらない」と言い切れるようになりました。息子ほど中学校の先生に支援をしていただいた子はいないのではないかと思っています。柔軟な考えをもった担任の先生（3年間変わらず）や教科担任に恵まれ、3年間を通して一貫した支援を受けることができました。

　　息子は、アスペルガー障害の傾向があるためか、家庭では隠しごとや嘘をつくのが苦手で、なんでも親にしゃべらずにはいられません、不安なことがあれば怒りっぽくなり、ひどいときには暴れ出します。そのため「子どもがこんなことで困っている」と担任の先生に相談し、助けていただくことが可能でした。ほかの場面緘黙の子どもたちは、学校でしゃべらないだけで、家庭では全く普通で、それほど問題視する必要がないように思われるかもしれません。でも、だからといって、そっとしておけばいいということではないと思います。子どもたちは、誰にも理解されないまま学校に通い続けるだけで、深く傷ついているかもしれません。

・この年代の子どもたちの場合は、「学力面でその子の持てる力を伸ばすこと」そして「社会とのつながりを保つこと」に支援の焦点を絞るべきです。
・大切なのは、どんなに小さな進歩にも目をやり、子どもの自信を失わせないことなのです！
・社会との結びつきをもち、そのつながりを保つ支援をすることは、きわめて重要なことです。というのは、残念ながら、社会不安を感じやすい子どもはあまりに孤立しやすく、落ち込みやすいのです。（Knet資料No.14より）

　　先生方には、Knet資料No.14「場面緘黙児が小学校中学年以上や十代のとき」をぜひ理解していただきたいです。
（追記）
　　息子は、高校の入学式から声が出て、クラスでの自己紹介も難なくクリアできました。最初のうちはクラスメイトからの問いかけに答えるだけだったようですが、ほどなく親しい友達ができ、携帯電話のメール交換などをしているうちに自分から話しかけることもできるようになりました。
　　高1の10月「薬をやめたい」と言い出し、1か月半ほどかけて減薬、途中何回か薬の離脱作用と思われる頭痛、吐き気などがありましたが、2～3日で治まり、12月初旬断薬することができました。
（数ヵ月後加筆）

第3章 実践

コラム92　音楽のリコーダーでの取り組み (小5女子の保護者)

　長女は学校では一言も声が出ません。でも、3年生の時から勉強するリコーダーだけは、みんなの前で吹けていました。それなのに、4年生になった途端吹けなくなったのです。担任の先生は毎年変わりますので、何が原因だったのかわからないのですが、その先生も一生懸命休日に出勤して二人きりで部屋に閉じこもりうながしてくださったのですが、やっぱり4年生の1年間はダメでした。

　そして、現在5年生。また担任の先生が変わり、それが先生と二人きりなら吹けるようになったのです。最初はカラオケルームのような防音設備のある小部屋で、先生は横を向いて、決して吹いてるあの子を見ないようにしてくださいました。しぶっていたようですが、勇気を出して吹いたようです。Knet資料をお渡ししてからは、少しずつステップアップできるよう考えてくださったようです。次は、誰もいない階段の上で。本人は意識しなかったようですが、休み時間で結構聴こえてたようです。この前は、授業中に教室から少し離れた廊下で。授業中だったので、し〜んとしていて教室まで聴こえたようです。クラスの仲間の誰かが「おい、静かにしろ！」と言って、長女の吹く音色を聴いてくれたようです。先生と長女が教室にもどるとみんなが拍手でお迎え。長女は「もう！　いややってん！」とか言っていましたが、私には嬉しそうに聞こえました。

3 保護者との取り組み

⑩自分の不安を得点化する方法

　子どもがいろんな場面でどれだけ不安や恐怖を感じているか、子どもが自分で確認できるようにする方法があります（Knet資料No.5より）。この方法は米国のSMart（スマート）センターのE.シポンブラム博士のものですが、とても簡単で、小さな子どもでもできます。

　0～5点（小さい子どもなら0～3点）で、5点が「すごく怖い」～0点「全然大丈夫」というふうに、子どもに自分の不安を得点化させます。この方法は、次のステップをどう進めてよいかわからない時にも有効です。絵を描いてもらったり、ゲーム感覚でも使えます。保護者が絵や図を描いて、そこから子どもに選ばせる方法もよいでしょう。

　この方法には二つ意味があるのではないかと思います。一つは緘黙児自身が「話す」「話さない」にとらわれないようにすること。もう一つは、自分の中に起こってくる不安を自分でとらえその程度を測ることによって、子どもの不安への対処力を育てていくことです。自分の状態を知ることは、不安に襲いかかられる受け身的な状態から、不安に立ち向かう能動的な状態への第1歩になると思います。

コラム93　電話作戦のあとの得点化（中3男子の保護者）

　M君への電話に初めてチャレンジしました（コラム91参照）。電話が終わった後の息子の様子から、友達に対しての発声は、それまでの大人とのチャレンジとは比べ物にならないくらい緊張したことがわかりました。友達に電話をかけたのは、小学3年生の夏以来6年ぶりでした。いい機会だと思ったので、得点化を試してみました。
　緊張レベル0（全く緊張しない）〜　緊張レベル5（すごく緊張する）のうち、
　　・担任の先生との個室での初めての会話練習：緊張レベル4
　　・2学期になってからの先生との会話練習：緊張レベル0
　　・初めてのM君への電話：緊張レベル5
とのことでした。「最初はすごく緊張しても、回数を重ねるごとにだんだん緊張しなくなる」ということを息子と確認しあいました。

コラム94　近所であいさつができるように（小2女子の保護者）

　うちの娘の場合、「不安の得点化」が本人の意識改革にとても役立ちました。それまではどんな人ともあいさつできなかったのですが、学校関係の人には緊張度が高くても、近所のおばさんやスーパーの店員さんには緊張度が低いということが目で見てわかり、気持ちの整理ができたようです。その日、散歩の時に近所の人に「こんにちは」と言えるようになりました。3人の方にあいさつしたのですが、だんだん声が大きくなって本人も私もびっくりしました。

コラム95　先生への安心度を測る（英国在住・5才男子の保護者）

　現状がつかめないので、対策を立てるといってもどうしてよいかわからず、試しにやってみたのが、Knet資料No.5でした。「学校の先生がどのくらい恐いか教えてね」と5段階評価でクイズの感覚できいてみました。
　　「超恐い」5点は、校長先生
　　「かなり恐い」4点は、担任のE先生と1対1で読み書きを教えてくれていたA先生と
　　前担任のF先生
　　「結構恐い」3点は、アシスタントのS先生
　　「ちょっとだけ恐い」2点は、よく話しかけてくれるSENCO（学校勤務の特別教育支援コーディネーター）と担任のT先生
　意外でした。A先生とは個室（カーテンで仕切った部屋）で普通に話せていたし、E先生にも必要事項はささやけます。S先生とは教室でグループ活動をしている時、小さい声で話せます。話し掛けてくれる機会が多いと、不安感があっても声がでるようなのです。ちなみに、1対1であれば、ほとんどの先生にささやくことができます。新担任に関しては、E先生は、「プッシュして後退したら恐い」という意識が強く、息子がアプローチするまで待っています。むっつりタイプのT先生は、緘黙を意識しているのかいないのか、積極的に何かをやらせるようにしています。息子の安心度はT先生の方が圧倒的に高いことがわかり、T先生からアプローチしてもらった方が安心度が増すのでは、と思うようになりました。最近では、学校生活を楽しんでいるし、祖父母の家で一人で泊まれるようになったり、学校で行なっている放課後クラブに、友達A君といっしょでなくても行けるようになったり、と精神的に随分成長したことから判断して、もう少しプッシュしても大丈夫だなという結論に達しました。相談できる専門家がいないため、ほとんど母親の勘で対策を決めてしまい、不安は残ります。でも、緘黙症の治療は、結局は試行錯誤してその子にあったやり方を見つけていくしかないと思うのです。

⑪友達を家に呼んで遊びましょう

　学校や園以外の場所で、楽しいコミュニケーションの機会をもつようにしましょう。緘黙児が、自分から友達と遊ぶ約束をすることは困難です。保護者が場所や時間の設定を手伝ってあげましょう。最初の目的は「友達といっしょにいて、子どもが楽しい気持ちになること」です。たとえ遊べていないように見えても、子どもが友達といっしょに時間を過ごし、楽しい気持ちになれているなら成功です。

　初めは母親も遊びに参加して、子どもの緊張をほぐし、コミュニケーションを手伝ってあげましょう。子どもが一番親しみを感じている友達と、2人で遊ぶことから始めるとよいでしょう。3人で遊ぶのは難しいものです。子どもによっては、自分の家の中でも緊張してしまったり、リラックスするまでに時間がかかります。あらかじめ、楽しく遊べる物を何か用意しておくことをお勧めします。

- テレビゲームなど発話が少なくてすむものから始めるのもよいでしょう。初めは勝ち負けがはっきりしないものがお勧めです。
- 騒がしい遊びや体を使った遊びも緊張を取るのに役立ちます。
- シャボン玉や風船など、口や喉の筋肉の緊張をほぐす遊びもお勧めです。
- いっしょに菓子作りをして、みんなで楽しく食べるのもいいでしょう。
- 何か作る遊びもよいでしょう。

　実際は計画通りには行かないものです。うまくいかなくても、保護者が落ちこまないようにしましょう。その時の状況や子どもの状態に応じて臨機応変に対応します。

　子どもが母親の耳元で小さな声でささやくことができれば、それを友達に伝えてあげてください。これは、「ことばの橋渡し役」（第3章⑥参照）という手法で、やがて「橋渡し役」がいなくても、少しずつ友達と直接話せるようにしていきます。友達に聞こえる場所で、子どもが母親に話すことができたら、それは最初の1歩です。発話にこだわらず、リラックスしているかに注目します。保護者からさりげなく「アイスはイチゴがいい？　オレンジがいい？」とたずねるなどして、非言語的コミュニケーションや発話をうながしましょう。

　初めは、子ども部屋、リビング、庭、家の前、子どもが一番リラックスできる場所から始めます。そのうち、子どもが喜びそうな場所、公園やお店で買い物、映画館に出かけるのもよい考えです。友達の家に出かける時は、初めは母親もついていくと子どもは安心です。友達の保護者に事情を話し、理解を求めましょう。

第３章　実践

コラム96　騒がしいゲームをしました（小１男子の保護者）

　お友達と家で「騒がしいゲーム」を使って遊びました。玉がたくさん自分の所に入ったら負けのゲームですが、音がとてもうるさくていいです。百円ショップで売っているブーブー風船も顔をゆがめて思いっきりふくらませて、放すと「プ～！」とすごい音をたててクルクル回ります。これを誰が一番長く回せるか競争して遊びました。自分の発声を気にしないでよい程うるさく、緊張がほぐれる遊びがいいですね。
　Ｋnet資料No.8に、「想像をふくらませるような創作活動」「わいわいとにぎやかに騒げるようなゲーム」「口で吹くなど口を使う活動が効果的」とあります。女の子なら、お菓子をいっしょに作るのもいいですね。「パフェ作り」もいいと思います。工程が簡単で豪華、待ち時間がないというのがいいです。もちろん、クッキーもいいのですが、最初のクッキングは、簡単で工程が少なくて、時間もかからなくて、すぐに食べられるものがいいかなと思います。ポップコーンをレンジでチンして作るのも、音で盛り上がっていいと思います。
　大きな子でも大人でも楽しめるジェンガは、親戚の家に行く時は必ず持って行っています。あらかじめ練習しておくと、自信をもてるのでいいと思います。息子は「新しいことに不安」なので、前もって練習させることが多いです。家庭訪問でも、リビングで母親と息子と先生の３人で「ジェンガ」をしました。「ジェンガ」は話さなくていいし、崩れた時にうっかり声が出るかもしれないというねらいもありました。
　子どもがお友達といっしょに楽しく過ごせて、お友達にも「楽しかった。あ～また来たい」と思ってもらえたら大成功！　と思います。

コラム97　吹くなど、口を使う遊びを取り入れて（小１男子の保護者）

　まだ息子に近所で遊べるお友達がいない時、近所の子どもが集まってくるようにストローで吹くタイプのシャボン玉をよくしていました。シャボン玉が空を舞うとなんとなく子どもが集まってきます。人が来ると息子は急に上手に吹けないので、口元が一番緊張しやすいのかもと思い、百円ショップで吹かなくてもいいシャボン玉セットを買ってきたことがあります。回数を重ねるごとにお友達と慣れ、口でふけるようになりました。

コラム98　クリスマスで「ダックボイス」（小１男子の保護者）

　毎年２家族でクリスマスパーティーをするのですが、息子は、去年からこの家族の前で声を出せなくなってしまいました。この家族とは昔から家族ぐるみのおつきあいでいっしょに楽しく遊ぶのですが。それで、今年のクリスマスパーティーは「ダックボイス」（声の変わるヘリウムガスがはいった缶）を２缶買って持って行きました。初めてのダックボイスに子どもたちは興奮して、吸っては可愛い声を出していました。みんな吸った後最初のことばは「あ、あ」って必ず言います。そしてその変な声に「あははははっ」と変な声で笑う。息子も興味津々で見ていました。息子は人の口をつけたものは絶対口にしないので、もう一缶を息子に渡しました。不安そうな、でもやってみたいような顔をしていましたが、自分から吸いました。「あ」いつもの息子の声とはちがう、可愛い声がしっかり聞こえました。その声を自分で聞いて、はずかしそうに笑っていました。その後の食事はこれまでのように指さしではなく「ケーキ」「チキン」とみんなの前でちゃんと声に出して、私に話しかけていました。

⑫家の外、そして学校で友達と遊びましょう

　自分の家で、友達と遊ぶ機会を作ることから始め、「活動」を工夫しながら、家の外、近所、運動場、教室へと「場所」を移していきましょう。友達とリラックスして話す経験を増やすことが目的です。なるべく一人の友達とのスモールステップを進めて、うまくいけば別の友達とのステップを、家からまた始めるやり方が基本です。休日や放課後、家族といっしょに校庭で遊ぶのもよい方法です。家庭と学校の間に橋をかけます。

コラム99 仲のよいお友達といっぱい遊んで （小１男子の保護者）

　今、Knet資料No.3を参考に「活動」→「場所」→「人」へと進めています。仲のよいお友達といっしょにいろんな活動、場所へ、最初は、自宅、そして知っている人がいない遠い公園…（省略）近くの公園、友達の家（私もいっしょ）へと、学校以外の場所で遊んでいます。

　この間レジャープールへ二人を連れて行きました。長い曲がりくねったすべり台を二人とも初めてチャレンジしました。最初にトライしたのは、うちの息子。自分が最初にトライして成功したことで、かなり自信がついていました。何回も何回もすべって、足がつかない流れるプールにもチャレンジして、冷や冷やしましたが、収穫は大きかったです。そして、自宅に帰ってからも、いつも親といっしょに行く「虫捕りコースの山」へも、息子先導で友達と二人だけで行き、セミなどをゲットしました。自分が虫を捕ったんだとまたまた自信たっぷりでした。

　なぜ同じ人とのステップで「活動」「場所」を変えるのか、わかったような気がしました。負担が少ない活動、場所からすすめていくうちに、自信がついてきます。最近では、今まで親がついていないとできないことも一人でできるようになり、自信がつくと、こうも変わるのか、と驚いています。子どもによっては、薄暗いところ、映画や花火、夏祭りなどで緊張が少なく遊べるかもしれません。

　この取り組みを、**コラム100** の「友達K君との放課後の取り組み」につなげていきました。

第3章　実践

コラム100　友達K君との放課後の取り組み （小1男子の保護者）

学校にお願いして放課後に教室をお借りしました（コラム78参照）。K君のお母さんと相談して、K君には「お母さんお仕事で帰りが遅いから、○○君のお母さんが教室まで迎えに行くから、待っててね」と言っていただきました。

10月11日　放課後の教室①（10分間）

宿題をしようと提案しましたが、K君の算数のノートがなかったので、本読みになりました。K君が読み始めると、息子も小声で読み始めました。2人いっしょに読もうかと提案すると、2人で大きな声で読み始めました。下品なことばに置き換えてふざけて読んだりもしていました。帰りに廊下で違うクラスの先生に、2人で元気よく「さようなら」とあいさつができました。今回、教室は窓と入り口は全部閉めてしました。

10月18日　放課後の教室②（1時間）

宿題はカタカナのプリントでしたが、ジャンケンに勝った人が書ける遊びになり、一文字書くごとに大きな声でジャンケンしたりして、大はしゃぎでした。途中、トイレに行きたいと言い出したので、3人で違う棟の6年生のトイレまで探険しました。まだ6年生は授業中なので、はしゃぐ2人を静かにさせるのに苦労しました。6年生の下校と重なった帰り道、K君がだじゃれを連発し、息子も負けじとなんとか考えて言っていました。

10月25日　放課後の教室③（50分間）

教室に行くと、2人とも真剣に算数のプリントをしていましたが、先生が出て行かれると途端に悪ガキ2人になって、教室と廊下でぐるぐる鬼ごっこを始めました。宿題してお家に帰ったら、いっしょにポップコーン作ろうと言って、宿題をさせました。算数の計算は息子は得意なので、先に終わって私が先生役で採点すると、得意になっていました。私が「今日は何ページかな？」と国語の本を渡すと大きな声ではっきりと読みました。

11月1日　放課後の教室④（1時間）

学校公開日だったのですが、5分の休み時間、教室の中で息子が友達としゃべっている声が私がいる廊下まで聞こえて、涙してしまいました。この日は、黒板を使って遊びました。クラスの子が何人か教室に出入りするので、いつもK君とクラスの誰かの3人でした。誰が入ってきても、息子はふざけて話ながら書いていました。

11月8日　放課後の教室⑤（1時間）

教室へ行くと、クラスの子が何人か「○○君のお母さん」と近づいてきて「○○君は最初ははずかしがりやさんやったけど、もう大丈夫だよ」など息子の様子を笑顔でおしえてくれました。最後だから好きなことをしようと言ったら、黒板にいっぱいお絵描きしました。カメラを持って行ったので、息子の笑顔の写真をたくさんとりました。

コラム101　小学校の校庭で家族でキャッチボール （小6男子の保護者）

息子が大好きなキャッチボールを、今日は私、主人、緘黙の息子とその弟、4人でやってみました。いままで、それほど気にしてなかったんですが、4人だけだと家にいるように校庭でも声が出ました。田舎なので小学校の校庭は自由に使えるし、誰がいるかも一目瞭然の恵まれた環境なので、夏休みは校庭で息子たちと遊んでみます。家の中よりも校庭が一番生き生きして見えるので、息子にはいいかなと思います。

⑬電話作戦

　年令が下の子どもの場合は、発話を意識させず、楽しみながら行ないましょう。

- 電話を使うことに慣れることから始めます。まず最初は家族と電話で話しましょう。電話で天気予報を聞いて、母親に報告するのもお勧めです。
- 子どもが話しやすい人との会話をうながしていきましょう。家族や友達だけに限定するのでなく、祖父母など、子どもが普段話せる人と電話で話すのもいいです。
- 簡単な台本を用意して何度か言ってみてから電話する方がよいこともあります。
- 電話をかけるよりも、電話をとる方が難しいようです。外から母親が電話をして電話を取ることもやってみましょう。

　年令が上の子どもでは、子どもが挑戦してみようと思うことが大切です。

- 本人と話し合った上で、いっしょに目標を立てながら、ゆっくり練習するとよいでしょう。
- 子どもがなんと言ってよいかわからないという場合は、いっしょに台本を作って母親と練習しましょう。
- 初めて友達と話す時は、あらかじめ保護者から相手に、電話練習をしていることを理解してもらい、電話内容についてもお願いしておくと安心です。
- 電話で先生に国語や英語の本読みを聞いてもらうのもよいでしょう。
- 子どもが挑戦したことで自信をもつこと、また、やれたことに達成感をもつことが目標です。決して、発話ばかりに注目しないように気をつけましょう。

　SMIRA(スマイラ)のサイトには、コミュニケーションに不安を感じる若者や大人向けの電話プログラムがあります。初めは音声案内に従ってYesやNoなどの簡単な答えをプッシュします。それができるようになったら、まず第三者と台本を見ながら話せるように練習します。次に親しい人と練習して、話せる人を増やしていきます。簡単な受け答えから、少しずつ長い文や複雑なものにしていきます。ピザの注文やチケットの予約などの音声案内での注文で練習するのもよいでしょう。

第3章 実践

コラム102 「友達との電話」に挑戦（小3女子の保護者）

　娘が学校から下校する際、雨が激しくなり、クラスの友達の女の子（仲はすごくよいですが話せません）と公民館で雨宿りして、その友達のHちゃんが母親に電話して車で迎えに来てもらい、娘も乗せてもらって家まで送ってもらったとのことです。お礼の電話をと思いましたが、その時、SMJ掲示板[20]の電話での取り組みのことが頭をよぎりました。駄目もとで娘に「電話でHちゃんにありがとう言ってみる？」と聞くと、始めは「え～」と嫌そうでしたが、「顔が見えないから気が楽じゃない？」「無理だったらお母さんがうまくフォローするからどう？」と言うと、なんと「やってみる」と言うのです。掲示板の取り組みをマネして台本を作り、何度も練習し、声の大きさまで決め電話しました。

　「Hちゃん、送ってくれてありがとうね」「また明日学校で遊ぼうね」Hちゃんの「明日いっしょにお弁当食べようね」に「うん」と応えて「じゃあねバイバイ」言えました。思ったよりハッキリした口調でした。電話を切り、私が「よかったね。言えたね」と言うと「うん。でも今は何にも言わないでね」と言いました。その気持ちがすごくわかったので、しばらくその話はしませんでした。2年生の時は友達に電話してねと番号を渡されても決して電話しなかったのに。できる時期がきて、よいタイミングで親切にしてもらい、よいキッカケができたのでしょう。久々の大きな一歩です。

　実は、Hちゃんへの電話を切った後、もしHちゃんが明日学校で娘と電話で話したことを言いふらしたら……という心配が頭をもたげたのですが、Hちゃんだったらそんなことしないだろうと思いそのままにしておきました。今考えると、ちゃんと学校で電話で話したことをほかの子に言わないでね、と私から言っておけばよかったと反省しています。幸い、次の日学校から帰った娘に「Hちゃん電話で話したことほかの子に言わなかった？」と聞くと キョトンとして「言わないよ」とのこと。ホッとしました。どうやら二人だけのヒミツのようです。

コラム103 電話に慣れる練習から（英国在住・6才男子の保護者）

　息子は電話が大の苦手です。少しずつ電話での会話にもチャレンジしていくことにしました。①から初めて、徐々に人や場面を増やしていく予定です。電話での会話練習はごほうびはなしで、ほめてあげるだけにしています。
①主人との会話
　帰宅前に主人が電話をくれるので、その際に一言話をさせるようにしました。最初は、「イエス」「ノー」と「バイバイ」でスタート、徐々に息子の興味のある話題で少しずつ会話ができるようになりました。
②大好きな祖母との会話
　私達が義母と電話する際は、息子にも「グラニー（祖母）と話したい？」と、声をかけるようにしました。クリスマス前に、「グラニーが、クリスマスプレゼント何が欲しいかなってきいてたよ。電話してみようか？」と持ちかけてみました。その時、すごく欲しいものがあったので、すんなりその気になり、割と普通に話せました。義母が「○○から初めて電話をもらった！」と感激してくれました。
③電話を取る練習
　先日、息子を家に残して郵便局へ行った際、「マミー、早く帰ってこれる？　郵便局から電話して」と自分からリクエスト！　操作の仕方を教えて外出し、ドキドキしながら電話をかけると、ちゃんと「ハロー」と答えました。6才にして、初めて自分で電話を受けることができ、母、ちょっと感激。以来、3回ほど同じ方法で練習しました。

　苦手なことでも、少しずつ慣らしていけばできるようになるようです。もう少し自信がついてきたら、今度は友達に電話をかける練習をしてみようかと思っています。

コラム104 「友達とのメール・電話練習」から「友達との学校での会話練習」へ (中3男子の保護者)

　現在中3の息子は、学校で話せなくなって6年になります。学校でも非言語的コミュニケーションは自然な感じでできるようになってきました。息子は大人より、同年代と話すことが苦手で、学校関係者でなければ電話やお店で交渉ごとをするのも平気です。

- **M君とメール交換**…いつもやさしくしてくれている友達が、パソコンを買ってもらったらしいので、その子のお母さんに「コミュニケーションの練習をさせたいのだが、協力してもらえないか」とお願いしました。息子は夏休み明けくらいからその友達とメール交換を始めました。ゆっくり考えながら書き込めるので負担にならないようです。最初は少し私がアドバイスしました。
- **M君と電話5回**…今度はそれを電話でのコミュミュニケーションに結びつけようと考え「電話で話すのって、会話練習にすごくいいんだって。電話で何回も練習して、普段の会話もできるようになった人がたくさんいるんだって」と宣伝しておきました。その時は「やだよ」と拒否反応だったのですが、欲しいものができて、急にチャレンジしてみたくなったようでした（ごほうびシステムについて **コラム107**）。

　1回目、電話をかける前に子どもと話し合って何を話すか決め、原稿を紙に書かせ、M君には前もって私の方から電話し、会話の練習であることを告げ、うまく行かなかった時のことも含めて、打ち合せをしました。家の人が出てしまうと複雑になるので、M君に直接出てもらえるようにお願いし、5分後にかけることを約束しました。原稿片手にではありましたが、棒読みではなく自然な感じで、しっかりとした声で話すことができ、最後には原稿になかったことばも出て大成功でした。息子は「ああ～！　ドキドキした～なんか心臓が変！」としばらく大騒ぎしていました。かなり、勇気をふりしぼってやったってかんじでした（**コラム93** 参照）。6年ぶりの快挙に親子して喜び合いました。

　その後、原稿を準備する形から準備しない形へ、M君と私があらかじめ打ち合わせをする形から息子が直接電話する形へとステップを踏みました。3回目（11月）にはM君を誘うことに、4回目（1月）には電話で話したあとM君宅に行って面と向かって話し、借りものをしてくることに挑戦しました。卒業間近の5回目（3月）にはそれほど意識せずにごく普通の電話でのやりとりができました。

- **教頭先生へ1回（1月）**…入試が終了した報告に、原稿を準備して学校へ電話をかけさせると、教頭先生が出て普通に会話することができました。教頭先生も嬉しそうでしたが、息子本人も「こんなに話せるとは思ってなかった」と驚いていました。
- **卓球部のS君へ1回（2月）**…M君とS君に学校での会話練習をお願いする前に、原稿を準備して挑戦しました。電話をかける前だいぶ躊躇していましたが、うまくいきました。
- **野球部のE君へ2回（2月と3月）**…授業中の取り組みがうまくいかなくてじりじりしていた時、入試前後から仲よくなったE君に原稿を準備して電話しました。1回目は突然の電話にE君が戸惑った様子でしたが、その後、担任の先生が電話チャレンジへの協力を頼んでくださったこともあって、2回目はE君が自然に受け答えしてくれて少し長く会話できたようです。
- **友達との学校での会話練習（2～3月）**…授業中の「列当て」での発声に苦戦している2月に、「このまま誰とも話さないまま中学校生活を終えるのはいやだ！」という息子と「とにかくできそうなことをどんどんやっていこう」と話し合い、友達からの簡単な質問に答えることにチャレンジさせていただくことになりました。最初は先生が考えてくださった「給食のメニューで好きだったもの」という質問に限定し、M君とできてからM君＋卓球部のS君、その後野球部のE君に、昼休みや放課後にロビーや教室で話しかけてもらいました。E君との4、5回目の会話チャレンジ（3月）では質問内容はE君に任せ、楽しみながら答えることができました。

第3章　実践

⑭お買い物作戦

学校の外で、コミュニケーションをとれる場所を広げる方法です。初めはレジに買う物を無言で置いたり、商品を指さしで選んだり、ありがとうの代わりに頭を下げたり、バイバイの手を振ることから始めます。

コラム105　買い物で「ありがとう」を言う練習（5才男子の保護者）

不安要因が少ないところから始めるのが重要なので、息子の緘黙バリアが外れる大型スーパーマーケットからスタートしました。店内では大声でおしゃべりしたり、自由に動き回ったりしているのですが、まだ話せない知り合いに出会うと即座に緘黙モードに突入します。不思議です。チャートを作って、成功したらシールを貼る方法もいいと思いますが、私の場合は好きなお菓子や雑誌などを一つだけ選んで買わせ、それが直接ごほうびという形にしています。不安要因が少ない①から始めて、この2月に④に挑戦したら、割とすんなりできました。その時の条件や息子の調子にもよると思うので、成功したらサラッとほめ、不成功でも、自信を失わないようにサラッと流すようにしています。

①大型スーパーマーケット
（知らない第三者がレジにいることと、私が常に隣にいるので安心度が高いようです）
最初は私に向かってすごく小さい声で「ありがとう」と言っていましたが、徐々にレジの人に向かって聞こえる声で言えるようになりました。レジに複数人がいたりする場合は、「僕、人がいっぱいいるから言えない」などと並んでいる時に言うので、状況を見て息子と交渉しています。

②土曜日の音楽教室の模擬店
（知りあいではない保護者が売り子さん担当。ガヤガヤした親しみやすい雰囲気）
初挑戦の時はやはり私に向かって言いましたが、割とすぐに慣れました。今は少しずつ息子との距離を離すようにしています。昨年末の学校のクリスマスバザーでも同様に買い物ができました。

③常連ではない小さなショップ
段々買い物にも慣れてきたせいか、今年に入って自分から「僕ありがとうを言うから○○買ってもいい？」と聞くようになりました。周りに人がいなければ、レジまでいっしょに行かなくても自分で買えることもあります。最近、私が隣にいる時に2回ほどレジの人に何か聞かれて、自然に答えることができびっくりしました。

④顔見知りの近所のショップ
これはちょっと不安が強いので、今流行りのトレードカードをダシに挑戦しました。2回成功。店員が結構ぶっきらぼうで、あまり子どもに声をかけないのが効を奏しているようです。次の課題は「これを下さい」と言えることですが、息子の様子を見ながらボチボチやっていこうかと思っています。

コラム106　お店での注文（小6男子の保護者）

「学校で声を出したい」という気持ちはうちの子にはあまりないようで、時々はがゆくなります。でも、声を出すことではなくてリラックスできることが大事だとKnet資料にあるので、あせらず、気長に、前向きにいくことにしています。

そこで、最近していることは、お店での注文です。今までは息子の注文を私が店の人に頼んでいたのですが、忘れたふりをして息子に注文させています。少し声が出るまで時間がかかったりするのですが、声を出して注文できるようになりました。

⑮ごほうびを用いて会話をうながす方法

　「ごほうび」と「物でつる」は違います。ごほうび（誘因）は「子どものやる気を起こすための方法」です。その行動ができたことで、子ども自身が「達成感」や「自信」を感じることができるようにします。さりげないほめことばも子どもにとってごほうびになります。例えば、買い物で好きな物を買うことは、その行動自体がごほうびになるよい例です。

- 子どもにやりたい気持ちがない時や、まだ全く話したことがない状況で「話せばごほうびをあげる」というようなやり方は役に立たず、逆にプレッシャーを与えて不安を増やすだけです（物をごほうびにする方法は、子どもによって向き不向きがあります）。
- 7割程度の確率で成功する設定がよいと思われます。
- 「話すこと」に直接ごほうびを与えるやり方は、プレッシャーになるだけなので、決してしてはなりません（本人が発話への挑戦に前向きな気持ちがあり、十分に計画されたスモールステップでこれまでに成功したことがある場合は、「話すこと」にごほうびを与えるやり方が有効な場合もあります。ゲーム感覚でシールをためていき、特典〔何か普段は許されないようなことの許可〕を与えるのもよいでしょう）。

コラム107　ポイント制でごほうび（中3男子の保護者）

　「こんなことにチャレンジしてみようか？」「次はこれを目標にがんばってみよう！」など話し合い、本人がやる気になったことにそって学校側と交渉し、実現可能なことを試してみるようにしています。私も何度か失敗しましたが、子どもにとって難しすぎる課題に、とても魅力的なごほうびを提示した場合、それが手に入らなかった時のことを考えてますます不安になってしまうようでした。それから、子どもに全く取り組みたい気持ちがない時にも逆効果のようです。心の中ではやりたい気持ちがあるのに、勇気がなくて一歩が踏み出せない時、ごほうびという最後のひと押しが「やってみようかな」という気を息子に起こさせるようでした。小6の時「友達におはようとあいさつできたらごほうびをあげる」というようなことを息子に言ったことがあります。心理士と相談の上でやったことですが、場面緘黙症の治療に関して、専門家の方にも何の情報もない時でした。今なら、それがどれだけ息子にとって大変なことか、ステップが高すぎることを理解できます。

　うちの子の場合は、中1のときから、「保健室の先生に筆談で答える」「一人で学校のトイレに行く」「友達といっしょに登校する」など、スモールステップで苦手なことに1日一つだけチャレンジして、初めてクリアできたときにはいっしょに喜び、ごほうびをあげるということを続けてきました。クリアできたらごほうびをあげるということが、わが家ではごく当たり前のことになっていましたので、それを「台本を準備し、個室で先生の質問に、はい、いいえで答える」「台本なしで、個室で先生の質問に一言答える」「他学年の生徒が視界に入る場所で、先生の質問に一言答える」など発話の際に適用した時にも、ほとんど抵抗がなかったようです。

　わが家の「ごほうび作戦」は今ではすっかり定着し、現在は「チャレンジ5（ファイブ）」というタイトルに変わって、5ポイントたまるとボーナス（現金）が出るシステムになっています。でも、うちは貧乏なので、子どものおこづかいの基本給は小学校低学年のときのまますえ置きです。ときどき祖父母にも助けてもらっています。

第3章　実践

⑯ペットを飼う方法

　ペットを持つことが緘黙児にとってよい効果をもたらす例が海外で報告されています[21]。緘黙児によっては、動物の方が人間よりも脅威を感じることが少ないようです。ペットを交えて同年輩の子どもたちや大人とかかわると、子どもはペットを介在させることでリラックスして人とかかわることができます。

コラム108　アニマルセラピーやってます♪ （高3女子の保護者）

　中3で全緘黙になって最初の夏休みに、お祖父ちゃんが、犬を飼えば治ると人づてに聞いて、店で一番かわいい今の小型犬を買いました。娘も、気に入ったようだから世話をさせることにしました。日中何かさせて疲れさせることは、よいことだからと小児科の先生も言っておられました。
・自分より立場の弱い存在の世話をすると、知らず知らずに強くならざるをえない。
・外出時、飼い犬に注目が集まるので、自分のストレスが軽減されている。
・飼い犬が、「かわいいっ」とほめられると、世話をしている自分の自信になる。

　飼い主は娘になるため、世話は不慣れでも娘がほぼ全部みています。最初の散歩は、家の前20メートルがやっとでした。それが今では1日何キロ歩いてるでしょうか。しかし、飼い犬のいない環境では、まだ行動に支障があります。例えば、養護学校内で教室から数メートル先のトイレに自分一人で行く時は、周囲に誰もいないことを事前に確認します。それでも、小さなきっかけや行動をあきらめずに続けて、3年たちました。

⑰あいさつに挑戦

　子どもの不安度をチェックしながら、少しずつ学校外でも声が出るよう、うながしていきましょう。子どもがやりやすい方法、ことばから始めます。子どもによって、知らない第三者に対して最も緊張が低い子どもと、逆に知らない第三者とは話すことが難しい子どももいます。例えば、スーパーで母親と普通に話せるようなら、その場所からスタートします。「ありがとう」「ごめんなさい」「こんにちは」ということばを言うのを嫌がる緘黙児も多いため、本人の気持ちを大切にしながら進めましょう。

コラム109　子どもがやりやすい方法・ことばから （5才男子の保護者）

　息子の場合は、会った人に「こんにちは」とあいさつすることは緊張感が大きすぎるので、まず緊張が最も少ない大型スーパーで「ありがとう」を言うことから始めました。「言いたくなければ言わなくてもいい」という姿勢で子どもを不安から開放しながら、少しずつ練習するのがよいようです（コラム105参照）。

コラム110　「本人の気持ちを無視して、進めてもつらいだけ」と （小4女子の保護者）

　無理やり声を出さそうとすると悪化すると聞き、「無理に声を出さなくてもいいんだよ」と言ってきましたが、娘が「みんなと同じように大きな声が出るようになりたい」と前向きな気持ちになってからは、少しずつ声を出す練習を始めています。どのようにして前向きな気持ちがわいてきたのか、娘は次のように話してくれました。

　「本人があいさつをできるようになりたいと思っているのか、あいさつを不安で怖いと思っているのか。本人の気持ちを無視して進めてもつらいだけ。それよりも、『声を出したいけど出なくてつらいよね。でも、必ず出るようになるから、何も心配しなくていいんだよ』と自分の気持ちをわかってくれて、心の底から安心できて、その次に声を出す練習をしたいと思えるようになったんだよ」

　わが家では、あいさつができなくても、まずは会釈、その次は、笑顔でニコっ、その次は……というように今、自分ができることを精一杯がんばり、その努力を認めてほめていくうちに、小さい声ではありますが、近所の方にも、あいさつができるようになりました。あいさつができた後は、「あー、緊張した。でも、しっかり言えてたよね。大きな声だったよね」と嬉しそうです。

　高学年になって、どうしても大きな声で話せるようになりたいと、今放送部に入って、発声練習をがんばっています。病院の先生や、カウンセラーにも相談しながら進めているので、娘も安心だと言ってます。病院の先生も、本人が治したいと強い意志がある場合は、効果もありますが、声を出すことに苦痛や不安を訴えた時は、すぐ相談にきてくださいとのことでした。

（追記）

　緘黙を治したいと入った放送部の最大イベントの運動会で、堂々とマイクで放送をしました。もう、先生方やお友達もびっくりしました。私もその姿に涙がとまりませんでした。友達や先生方からも、とても澄んだきれいな声だったと大絶賛されました。全校生徒、来賓、保護者でうめつくされているグランドに立っているだけでも奇跡なのに、娘が堂々とマイクで放送している……私は感動で涙が止まりませんでした。（同年の運動会後加筆）

かんもくのあなたへ

ひとりじゃないよ　私がいるよ　いつも横にいるよ
ずっとそばにいるからね

学校で話せないの　つらいよね
休み時間に一人でいるの　さみしいよね
友達や家族にも思いが伝わらないと　かなしくなるよね

さみしい時は　私の心のおくにあるドアをたたいてね
かなしい時は　心の中で　私の名前をよんでね
声にならなくても　ちゃんと聞こえるからね

あなたの苦しい気持ち　本当によくわかるよ
不安で　つぶれそうになるよね
自分のことも　きらいになっていくよね

　　　　　　でもね　私も　負けないことにしたんだ
　　　　　　お母さんが教えてくれたんだ
　　　　　「かんもくは弱い人には来ない
　　　　　　乗りこえる力をもった強い子だから　私が選ばれたんだよ」って

　　　　　　だから　かんもくから　にげるのやめたんだ
　　　　　　かんもくを　こわがるのも　やめたんだ
　　　　　　かんもくと　手をつないで　進んでいこうって決めたんだ

　　　　　　私は　自分のことを「大スキ」と言える人間になりたいんだ
　　　　　　昨日より今日　そして今日より明日は　もっと成長して
　　　　　「大スキ」な自分に　あいたいんだ　だから強くなりたい
　　　　　　今より　もっともっと　強くなりたい

お父さん　お母さん
声にならないけど　ありがとうと言わせてね
私のことを「今のままの　そのままのあなたでいいんだよ」と
受けとめてくれてありがとう

クラスのみんなへ
声が出ないということを　必死に理かいしようとしてくれて　ありがとう
かんもくにならなかったら　周りの優しい心や
あたたかい心に気がつかなかったよ
かんもくは　私に大切なことを　教えてくれるために
必要だったのかもしれないね

　　　　　　ひとりじゃ　まだまだ　すごく弱いけど
　　　　　　信じあえる家族や友達がいるかぎり
　　　　　　私は　どこまでも強くなれる気がするよ

同じ　かんもくのあなたへ
どうか負けないで　私も負けないよ
ひとりじゃないよ
いつも横で　応えんしている人間が　ここにいるよ
そしてあなたの　すぐとなりにも……
だから安心して　いっしょに　乗りこえていこう

　　　　　　　　　　　　　　　　　by　ぴょぴょんこ　10才（ぴょんこの娘）

● K net資料

　かんもくネット（K net）が、海外の支援団体や専門治療機関の許可を得て翻訳した資料、及び、独自に作成した資料です。保護者向けや学校向けなどに分け、場面緘黙の基本情報や支援方法をコンパクトにまとめてあります。教師、保護者、医師、心理士のみなさんをはじめ、緘黙児支援にかかわる方々に利用していただければ幸いです。かんもくネットhttp://kanmoku.org/で公開されています。

	【基礎理解】
資料No.1	「場面緘黙を理解するために」SMart センター , Elisa Shipon-Blum "When the words just won't come out" understanding selective mutism
資料No.9	「なぜ場面緘黙になるのでしょうか？」SMG~CAN の F&Q "Why does a child develop selective mutism?"
	【保護者へ（教師へ）】
資料No.10	「子どもと共に『話すことへの不安』に取りくむ」SMIRA, handout 2 "Addressing the issues of speech anxiety with selectively mute children"
資料No.11	「日常生活において『話すことの不安』にどう対処するか？」SMIRA, handout 3 "General management of speech anxiety in everyday situations"
資料No.7	「場面緘黙児に必要な新学年への準備！」SMart センター , Elisa Shipon-Blum "Preparing the child with selective mutism for the upcoming school year!"
	【学校向け】
資料No.2	「先生方に場面緘黙を理解していただくために」SMart センター , Elisa Shipon-Blum "Helping our teacher's understand selective mutism"
資料No.3	「（1）場面緘黙について（学校提出用）」かんもくネット 「（2）場面緘黙について（教員の共通理解）」かんもくネット
資料No.12	「学校で場面緘黙児を支援するために」SMIRA, handout 4 "Supporting children with speech anxiety in school"
	【緘黙児の状態把握のために】
資料No.13	「（1）安心度チェック表（2）発語状態チェック表」かんもくネット
資料No.4	「（1）場面緘黙を不安障害として理解するために」SMart センター , Elisa Shipon-Blum "Understanding selective mutism as a social communication anxiety disorder" 「（2）社会的コミュニケーション不安調査表」SMart センター , Elisa Shipon-Blum "Socal-communication anxiety inventory(SCAI)"
資料No.5	「場面緘黙児が自分の不安を把握するために」SMart センター , Elisa Shipon-Blum "Helping the child with selective mutism acknowledge, assess&understand their anxiety"
	【幼稚園・保育園用】
資料No.8	「声が出にくい子ども達に支援を！（園提出用）」かんもくネット
	【小学校中学年以上】
資料No.6	「中高生用　場面緘黙を理解するために」かんもくネット
資料No.14	「場面緘黙児が小学校中学年以上や十代のとき」SMG~CAN, Lori Dabney "The older child or teen with selective mutism"

SMIRAの配付資料の翻訳に関しては、Maggie Johnson & Alison Wintgens著（2001）『The Selective Mutism Resource Manual』の出版元であるSpeechmark社より、SMIRAを通して翻訳とウェブ上公開許可を得ています。

● 役立つサイト

　Ｋnet資料は、2006年夏より「場面緘黙症Journal（SMJ）」サイトにて公開を始め、2007年４月より、かんもくネットのサイトで公開しています。SMJは場面緘黙経験者の男性が管理しているサイトです。

　　「かんもくネット（Ｋnet）」http://kanmoku.org/（日本）
　　「場面緘黙症Journal（SMJ）」http://smjournal.com/（日本）
　　「SMartセンター」http://selectivemutismcenter.org/（米国）
　　「SMG~CAN」　　http://selectivemutism.org/（米国）
　　「SMIRA」http://groups.yahoo.com/group/smiratalk/（英国）

※ほかにもウェブ上には場面緘黙に関するブログが多数あり、参考になると思います。ただし、掲載されている内容がすべて正しいというわけではありませんので、注意が必要です。

● 文献・サイト（サイトは2007年9月最終アクセス）

第１章

１）Bergman, R. L., Piacentini, J., & McCracken, J. T.（2002）Prevalence and description of selective mutism in a school-based sample. *Journal of the American Academy of Child & Adolescent Psychiatry*, 41(8), 938-946.

２）河井芳文・河井英子（1994）『場面緘黙児の心理と指導』田研出版.

３）Kanner, L.（1972）Child psychiatry, 4th ed. Charles C Thomas.（黒丸正四郎・牧田清志訳（1974）『カナー児童精神医学』医学書院.）

４）McHolm, A., Cunningham, C., & Vanier, M（2005）Helping your child with selectve mutism, New Harbinger Publications, inc.（河井英子・吉原桂子共訳（2007）『場面緘黙児への支援―学校で話せない子を助けるために―』田研出版.）

５）Black, B., & Uhde, T. W.（1995）Psychiatric characteristics of children with selective mutism: A pilot study. *Journal of the American Academy of Child and Adolescent Psychiatry*, 34(7), 847-856.

６）Dummit, E. S., Klein, R. G., Tancer, N. K., Asche, B., Martin, J., & Fairbanks, J. A.（1997）Systematic assessment of 50 children with selective mutism. *Journal of the American Academy of Child and Adolescent Psychiatry*, 36(5), 653-660. http://home.earthlink.net/~esdummit/sitebuildercontent/sitebuilderfiles/assessmt50childrensm.pdf

７）Kagan, J., Reznick, J. S., & Snidman, N（1988）Biological bases of childhood shyness. *Science*, 240, 167-171.

8）Kristensen, H., & Torgensen, S.（2001）MCMI-Ⅱ personality traits and symptom traits in parents of children with selective mutism: A case-control study. *Journal of Abnormal Psychology*, 110, 648-652.

9）Kristensen, H., & Torgersen S.（2002）A case-control study of EAS child and parental temperaments in selectively mute children with and without a co-morbid communication disorder. *Nordic Journal of Psychiatry*, 56(5), 347-353.

10）Kristensen, H.（2002）Non-specific markers of neuro-developmental disorder/delay in selective mutism A case-control study. *Journal of European Child & Adolescent Psychiatry*, 11(2), 71-78.

11）Kristensen, H.（2000）Selective mutism and comorbidity with developmental disorder/delay, anxiety disorder, and elimination disorder. *Journal of the American Academy of Child and Adolescent Psychiatry*, 39(2), 249-256.

12）Dow, S. P., Sonies, B. C., Scheib, D., Moss, S.E., & Leonard, H.L.（1995）Practical guidelines for the assessment and treatment of selective mutism. *Journal of the American Academy of Child and Adolescent Psychiatry*, 34(7), 836-846.

13）Yeganeh, R., Beidel, D. C., & Turner, S. M.（2006）Selective mutism: more than social anxiety? *Depression and Anxiety*, 23(3), 117-123.

14）Cunningham, C. E., McHolm, A., Boyle, M. H., & Patel, S.（2004）Behavioral and emotional adjustment, family functioning, academic performance, and social relationships in children with selective mutism. *Journal of Child Psychiatry*, 45(8), 1363-1372.

15）Steinhausen, H., & Juzi, C.（1996）Elective mutism: An analysis of 100 cases. *Journal of the American Academy of Child and Adolescent Psychiatry*, 35(5), 606-614.

16）山本実（1986）『緘黙症・いじめ－正子の場合』岩手大学「障害」児研究室．

17）Hayden, T. L.（1980）Classification of elective mutism. *The Journal of The American Academy of Child Psychiatry*, 19, 118-133.

18）笹森洋樹「通級指導教室の役割」独立行政法人国立特別支援教育総合研究所．
http://www.nise.go.jp/portal/elearn/jyoucyo-tsukyu.html

19）文部科学省「特別支援教育に関すること」
http://www.mext.go.jp/a_menu/shotou/tokubetu/main.htm

20）「場面緘黙症Journal」http://smjournal.com/

21）Sage, R., & Slukin, A.（2004）Silent children: approaches to selective mutism, SMIRA & University of Leicester, accompanying the video 'Silent children: approaches to selective mutism' funded by the department for education and skills.（杉山信作監訳　かんもくネット訳（2009）『場面緘黙へのアプローチ－家庭と学校での取り組み－』田研出版.）

22）Johnson, M., & Wintgens, A（2001）The selective mutism resource manual. Speechmark, Publishing Ltd.

第2章

23）竹田契一・里見恵子編著（1994）『インリアル・アプローチ』日本文化科学社.
24）五味太郎（1979）『ことばのあいうえお』岩崎書店.
25）五味太郎（1991）『質問絵本』ブロンズ新社.
26）「学校で話せない子ども達のために」http://silencenet.sakura.ne.jp/
27）「緘黙の話」http://nonousagi.blog38.fc2.com/
28）Kristensen, H.（2001）Multiple informant's report of emotional and behavioural problems in nation-wide sample of selective mute children and controls. *European Journal of Child and Adolescent Psychiatry*, 10, 135-142
29）加藤哲文（1989）「選択性緘黙」小林重雄編『子どものかかわり障害』81-125. 同朋舎.
30）Andrews, G., Creamer, M., Crino, R., Hunt , C., Lampe, L., & Page, A.（2002）The treatment of anxiety disorders: clinician guides and patient manuals, Cambridge University Press.（古川壽亮監訳（2003）『不安障害の認知行動療法(2) 社会恐怖 患者さん向けマニュアル』星和書店.）
31）米倉ゆかり（2003）「緘黙の子どもと動作法」成瀬悟策編『教育動作法』225-238. 学苑社.
32）松田美智子（1997）「場面緘黙児Y・H君が声を出して話せるまでの場面設定の試み：IEPの考え方を取り入れて」情緒障害教育研究紀要, 16, 111-122.
33）五藤義行「『少女たちのミューティズム』The Girls in Mutism 場面かん黙児との月日」茨城県教職員組合 教育相談室. http://www.itu-net.jp/sodan/sm.html
34）田島成子・加藤美代子（2001）「通常学級とことばの教室との連携 —場面緘黙状態を示す児童の支援を通して—」足利市立山辺小学校. 足利市立教育研究所.
35）Dummit, E. S., Klein, R. G., Tancer, N. K., Asche, B., & Martin, J.（1996）Fluoxetine treatment of children with selective mutism: An open trial. *Journal of the American Academy of Child and Adolescent Psychiatry*, 35(5), 615-621.

あ と が き

　私が臨床心理士として現場でかかわった場面緘黙の子どもさんは、1回の面接や先生との情報交換だけのケースを含めても、十数例しかありません。そして、残念ながらその中で私がかかわっている間に通常の教室で少しでも発話が見られたケースは2例だけでした。長い間遊戯療法をしていたある緘黙の女の子が、よくなるどころか中学入学後不登校になりました。何度も遊戯療法のプロセスを見直し、場面緘黙についての国内文献を読みました。「自分に力量がないから、よくならないんだ」「いや、何かが足りないんだ」と思い悩んでいました。

　2006年5月、それまでほとんど触ったことがないインターネットで情報を探すうち、緘黙経験者の男性が管理している「場面緘黙症Journal（SMJ）」と出会いました。とても驚きました。彼は海外文献を読み、サイトで情報を公開していたのですが、それは私にとって非常に有益なものばかりでした。彼に教わりながら海外のサイトを覗くと、知りたかった情報がたくさんありました。でも、私の錆びついた英語力では、しっかり情報をつかむことができません。そこで彼に頼んでウェブ上でメンバーを募ってもらい、チームで海外文献を読み、Knet資料（元SMJ翻訳チーム配付資料）としてウェブ上で公開し始めました。拙い英文メールで、海外の支援団体や治療機関に配布資料の翻訳許可をお願いすると、すぐに返信をくださり、私たちの活動を応援してくださいました。

　ＳＭＪ掲示板で、私は緘黙経験者、保護者、学校の先生と情報交換をしました。緘黙経験者の方のお話はとても貴重で、場面緘黙の理解にたいへん役立ちました。私は海外文献から得た情報や心理学の知識を提供し、保護者らはそれを元に取り組みを始め、小さな成果を積み重ねていきました。自分が場面緘黙だったと知ってとまどう当事者や経験者、我が子が場面緘黙だとわかり不安いっぱいで掲示板に訪れる保護者の方に、緘黙経験者や先輩にあたる保護者らが自分の経験を話しました。心理士よりも的確で役立つアドバイスでした。何よりも、自分以外にも悩んでいる人がいることを知り、体験を分かちもつことが、人に大きな安心をもたらすことがわかりました。今最も必要なことは、一人でも多くの人に場面緘黙を理解してもらうこと、そして、緘黙児やその保護者が「ひとりじゃない」と感じることなのだと思います。保護者らはKnet資料を持って学校を訪れましたが、場面緘黙を理解してもらうにはたいへんな苦労をともないました。ウェブ上にある場面緘黙の海外のテレビニュースを、ホームビデオで撮影して学校に持っていかれた方もおられました。映像には力があります。そこで私は、SMIRAとレスター大学が英国政府の助成金を得

て共同製作した本とDVD（24分）を、募金や助成金で安価で翻訳出版できないかと考えました。そして掲示板で知り合った3名の保護者らと共に、2007年春にかんもくネットを立ち上げました（この本とDVDは、現在チームで翻訳中です）。

　学苑社の杉本哲也さんから、先生と保護者向けの「場面緘黙」の実用書を出版しないかというメールが事務局に入ったのは、かんもくネットを立ち上げて1カ月を過ぎた頃のことでした。場面緘黙を多くの方に知ってもらいたいと考えていた私たちにとって願ってもない話でした。細々と心理臨床を続けてきた私のような心理士に、本をまとめることができるのか不安でしたが、みなさんが助けてくれるからきっとできるはずと、挑戦することにしました。本書掲載のコラム（一部本文）は、SMJ掲示板の書き込み文で、筆者の了承を得たものが多く含まれます。また、海外在住の方を含め、たくさんの方が本書のために原稿を寄せてくださいました。緘黙児を抱え日々奮闘している保護者や、力強い緘黙当事者と経験者の方々の協力があって、本書はできあがったのです。

　　ひとりじゃないよ　いつも横で　応えんしている人間が　ここにいるよ

　本書の最後の詩のぴょぴょんこさんのことばは、私に大きな力を与えてくれました。
　本書をまとめるにあたって苦労した点は、治療実績がある海外の支援団体や治療機関が配付しているKnet資料が、場面緘黙の理解を得ることが難しく治療実績が少ない日本の現状とは、かけ離れている点です。保護者が子どもに声をかけて不安を取り除いてあげる前に、保護者自身が孤立しており、安心を得ることができない状況があります。
　米国や英国の場面緘黙治療や取り組みは、チームで行なうことが基本のようです。日本でも、教師、行動療法家、言語聴覚士、医師、ソーシャルワーカー、心理士に、場面緘黙への関心をもつ方が増え、協力しあうことができればと考えています。私たちの活動に興味をもたれた方は、ぜひお知らせください。
　「場面緘黙Q＆A」は、2008年2月のこの時点で得ることができた理解と情報を精一杯掲載しました。しかし、まだ未完成で、取り組みは始まったばかりです。
　最後に、「推薦文」を寄稿してくださった河井英子先生、すてきな挿絵を描いてくださった林美子さん、私たちのイメージを見事にカバーに表現してくださった装丁家の大野敏さん、そして本書製作に大きな熱意をもってご尽力下さり、期限ぎりぎりまで修正に快く応じてくださった学苑社編集者の杉本哲也さんに、心より感謝申し上げます。

　　2008年2月　　　　　　　かんもくネット（Knet代表）　　角田圭子（Keiko Kakuta）

■著者紹介
　かんもくネット（Knet）
　　かんもくネットは、「場面緘黙児支援のための情報交換ネットワーク団体」です。緘黙児の保護者と臨床心理士が2006年夏からウェブ上で情報交換を始めたことをきっかけに、2007年4月に誕生しました。緘黙児の家族、場面緘黙経験者、教育や医療関係者などの会員からなり、心理士と保護者が事務局を運営しています。
　　場面緘黙は一般にあまり知られていません。日本では情報が少なく、孤立した状況に置かれている緘黙児や保護者も少なくありません。かんもくネットは、場面緘黙に関する知識や実践の情報交換と、もっと多くの方に場面緘黙を知ってもらうための活動を行なっています。詳しくは、かんもくネット http://kanmoku.org/ まで。

■編者紹介
　角田圭子（かくた　けいこ）
　　かんもくネット代表。臨床心理士。教育センターの教育相談員、思春期外来や精神科の心理士などを経て、現在、兵庫県にてスクール・カウンセラーや三田市民病院小児科・心理カウンセリングの心理士として勤務。

場面緘黙Q&A

Ⓒ2008

2008年3月15日　初版第1刷発行
2020年10月15日　初版第17刷発行

著　者　かんもくネット
編　者　角田圭子
発行者　杉本哲也
発行所　株式会社学苑社
　　　　東京都千代田区富士見2－10－2
電　話　03(3263)3817
ＦＡＸ　03(3263)2410
振　替　00100-7-177379
印　刷　株式会社シナノパブリッシングプレス
製　本　株式会社難波製本

検印省略　　　　乱丁・落丁はお取り替えいたします。
　　　　　　　　定価はカバーに表示してあります。

ISBN 978-4-7614-0711-7

かんもくの声

▼どうして声が出ないの？
マンガでわかる場面緘黙

金原洋治 監修　はやしみこ 著　かんもくネット 編
●A5判／本体1500円＋税

「なぜ声が出ないのか、どうすればよいのか」を具体的にマンガで説明。適切な対応の手引き書となる。

▼なっちゃんの声
学校で話せない子どもたちの理解のために

はやしみこぶんとえ　金原洋治 医学解説　かんもくネット 監修
●B5判／本体1600円＋税

「どうしていつもしゃべらないの？」子どもたちの疑問にやさしく答える絵本。場面緘黙を理解するための医学解説も収録。

▼場面緘黙支援の最前線
家族と支援者の連携をめざして

B・R・スミス／A・スルーキン 編　J・グロス 序文　かんもくネット 訳
●A5判／本体3600円＋税

場面緘黙における最新の海外研究結果を踏まえ、最も効果的な支援の方向性を示した。

▼学校における場面緘黙への対応
合理的配慮から支援計画作成まで

高木潤野 著
●A5判／本体2000円＋税

数多くの場面緘黙のケースと関わってきた著者ならではの実践をもとに、学校でできる取り組みやアセスメントの視点を紹介。

▼先生とできる場面緘黙の子どもの支援

C・A・カーニー 著　大石幸二 監訳　松岡勝彦・須藤邦彦 訳
●A5判／本体2200円＋税

短時間で記入できる質問紙やワークシートによる評価方法、行動理論に基づいたアプローチによる解決方法について紹介。

▼親子でできる引っ込み思案な子どもの支援

C・A・カーニー 著　大石幸二 監訳
●A5判／本体2200円＋税

引っ込み思案を克服するためのワークシートを活用した練習方法、ソーシャルスキルやリラクセーションなどを紹介。

▼吃音のある子どもと家族の支援
暮らしから社会へつなげるために

堅田利明・菊池良和 編著
●四六判／本体1700円＋税

尾木ママこと尾木直樹氏推薦！　NHKEテレ「ウワサの保護者会―気づいて！きつ音の悩み」著者出演から生まれた本。

▼子どもの吃音 ママ応援BOOK

菊池良和 著　はやしみこ イラスト
●四六判／本体1300円＋税

保護者の声に寄り添い、学ぶ
吃音の誤解と正しい情報を知れば、子どもへの接し方がわかり、子どももママも笑顔が増えること間違いなし。

▼自分で試す 吃音の発声・発音練習帳

安田菜穂・吉澤健太郎 著
●A5判／本体1600円＋税

吃音の理解を深め、余分な力を抜いたゆっくりな話し方を日常の困る場面で使えるようにするための書。

▼Q&Aで考える 保護者支援
発達障害の子どもの育ちを応援したいすべての人に

中川信子 著
●四六判／本体1600円＋税

療育関係者へ向けた40の質問＆回答集。『発達教育』大好評連載「親の気持ち―理解し、支えるために」待望の書籍化。

▼どうして声が出ないの？
誰にも話せなかった場面緘黙の悩み、話したくても伝えられなかった言葉。「あなたは孤独ではない」と著者は語りかける。

入江紗代 著
●四六判／本体1600円＋税

〒102-0071 東京都千代田区富士見2-10-2
https://www.gakuensha.co.jp/
学苑社
TEL 03-3263-3817　FAX 03-3263-2410
info@gakuensha.co.jp